아홉수 가위

KB139597

안전가옥 쇼-트 10
범유진 단편집

1호선에서
빌런을
만났습니다

식물도감이 배달되어 온 날을 기억한다. 그때 나는 열 살이었고, 식탁에 앉아 완두콩을 까고 있었다. 엄마는 내가 깐 완두콩 한 알을 집어 살피더니 휙 집어 던졌다.

"사람들이 참 양심이 없어. 겉만 그럴싸하지 안은 다 썩었네."

엄마는 신경질을 내며 안방으로 들어갔다. 나는 눈치를 보다가 거실로 갔다. 식물도감이 택배 박스 안에 든 채 방치되어 있었다. 내가 1년을 졸라도 사주지 않던 것을, 동생이 가지고 싶다고 하자마자 집에 들였다. 나는 도감 중 한 권을 집어 들어 펼쳤다. 그림 한 장이 눈에 들어왔다. 초록색 이파리를 쫙 벌리고 있는 작은 식물, 파리지옥이었다. 벌어진 잎 안쪽은 붉은색과 흰색으로 물들어 있어 꼭 사람의 입안처럼 보였다. '식충식물로 잎은 둥글고 끝이 오므라들며 양쪽이 닫혀 조개처럼 합쳐진다. 산과 소화액으로 벌레를 녹여 흡수한다.' 간단한 설명 아래에는 파리지옥이 파리를 먹는 과정이 그려져 있었

1호선에서 빌런을 만났습니다

다. 파리지옥 안에 갇힌 파리를 홀린 듯 바라보는데 동생이 축구공으로 내 뒤통수를 때렸다. 내가 노려 보자 동생은 안방으로 달려갔다. 안방에서 엄마의 날 선 목소리가 터져 나왔다.

"최고은! 누나가 되어서 동생을 왜 괴롭혀!"

날 선 엄마의 목소리는 늘 나만을 향했다. 엄마만 이 아니라 아빠와 동생도 마찬가지였다. 그들의 날 카로움은 늘 나만을 노렸다. 서로에게 한없이 다정 한 가족. 서로가 무슨 잘못을 해도 감싸 주는 화목 한 가족. 그들은 한 깍지 안에 든 완두콩 세 알이었 다. 나는 다시 식탁에 가 앉았다. 완두콩 더미에서 는 똥 냄새가 났다. 나는 더미 안에서 하나를 집어 깍지를 열었다. 멀쩡한 완두콩은 하나뿐이고 다른 것은 모두 썩어 있었다. 끈적끈적한 점액이 손가락 끝에 묻었다.

겉보기에만 번지르르한 깍지. 부모님은 그 깍지 같았다. 사람들은 몰랐다. 50평 아파트는 월셋집이 고, 외제 차는 리스한 것이며, 부모님의 고깃집은 직원들의 월급을 주기에도 빠듯하게 운영되었다. 가족의 경제는 꼬리에 꼬리를 무는 카드 대출과 대 부 업체 대출로 돌아갔다.

나는 깍지에서 멀쩡한 콩 한 알을 빼냈다. 콩은 내 손가락에서 미끄러져 식탁 아래로 굴러떨어졌 다. 그 콩이 부러웠다. 그 콩처럼, 당장 이 자리에서 탈출하고 싶었다. 하지만 동생이 친구들과 축구를 한다고 집에서 뛰어나간 뒤에도, 나는 파리지옥에 붙잡힌 파리처럼 식탁 앞에 앉아 있어야 했다. 완두콩을 다 까지 않고 자리를 뜨면, 엄마에게 미움받을 테니깐.

부모와 아이의 관계를 일컫는 표현 중에 '부모는 아이의 우주'라는 말이 있다. 맞는 말이다. 우주에 떠다니던 먼지가 자신의 의지로 행성의 구성 물질이 되는 것이 아니듯, 어린아이들은 가족을 선택해 태어날 수 없다. 우주를 벗어나고 싶어도 궤도를 이탈할 방법을 행성이 모르듯이, 가족을 벗어날 방법을 아이는 모른다.

*

"최고은 씨. 이 계약 말이야. 내가 한우 설렁탕이 포함된 A코스로 유도하라고 했잖아?"

탁 팀장은 조회가 시작되자마자 내 앞에 섰다. 탁 팀장은 매일 아침, 네 명뿐인 직원들을 한 줄로 세우고 상담 건수에 대한 잔소리와, 화장과 몸매에 대한 지적과, 우습지 않은 농담을 쏟아 냈다. 그동안 직원들은 약속이라도 한 듯 하나같이 바닥만 바라보았다. 탁 팀장이 누군가를 질책해도 절대 그 사람을 향해 고개를 돌리지 않았다. 그것이 서로를 감싸 줄 수 없는 상황에서 보여 줄 수 있는 최소한의 상냥함이었다.

"예비 신부님이 시식 후에 B코스로 결정하신 겁니다. 한우 설렁탕은 고기 비린내가 나서 싫다고 하셨어요."

"비린내라니. 아니, 최고은 씨. 우리 이모님 가게를 욕하는 거야, 지금?"

나는 침묵했다. 더 말해 봤자 시비가 길어질 뿐이었다. 웨딩홀 이사의 둘째 아들인 탁 팀장은 명실상부 부서의 폭군이었다.

석 달 전, 나는 다이아몬드 웨딩홀에 입사했다. 3개월의 수습 기간을 거친 후 정직원으로 전환된다는 것이 계약 조건이었다. 정직원 전환 시 웨딩 플래너 자격증을 딸 수 있는 교육과정이 무료로 제공되는데, 자격증을 취득하면 다이아몬드 웨딩홀의 모기업인 D사에 우선 취업할 자격이 주어진다고 했다. D사라니. 누구나 이름을 들으면 알 만한 탄탄한 기업이었다. 그렇지만 이보다 조건이 좋지 않았다 해도, 나는 합격 통지를 받자마자 입사를 결정했을 것이다. 회사가 서울에 있었으니깐. 대학 졸업 후, 나는 어떻게든 집을 떠나 K장녀를 그만둘 기회만을 노리고 있었다.

K장녀. 학술적으로 실체가 증명된 적은 없으나 그들은 세계 곳곳에 존재한다. 그들은 말도 안 되는 인내심과 이 한 몸 갈아서 가족에게 바치겠다는 희생정신을 장착하고 있는데, 자신이 원해서 그리되었다기보다는 어릴 적부터 그렇게 해야 살아남을 수 있었기에 그렇게 된 경우가 많다. 또 하나 이들의 공통점이라면, 대부분의 경우 자신이 K장녀임을 모르고 살다가 어느 순간 각성한다는 것이다. 내가

그랬다. 고등학교 때의 일이다. 친구들이 모여 앉아 떠들고 있었다. 뭐가 그렇게 재미있냐고 물으며 끼어 앉았다. 친구들은 인터넷에 떠도는 'K장녀 썰'을 보여 주었다. "이걸 참는 쪽도 바보 아니야?" 나도 따라 웃었다. 그런데 맙소사. 썰을 읽는데 누가 내 인생을 몰래 훔쳐보고 써 놓은 줄 알았다. 가족들 중 혼자서만 자기 방도 없이 지내는 딸, 제삿날 기름 냄새에 찌들어 전을 부치다 짜증을 냈다고 애교스럽게 말해야지라는 타박을 받는 며느리, 생리통으로 끙끙 앓으면서도 동생의 밥을 차려 줘야 하는 누나. 입가에서 웃음이 싹 사라짐과 동시에 내가 K장녀구나 하고 깨달았다. 그때, 어릴 적에 손가락을 벗어났던 완두콩이 떠올랐다. 궤도를 벗어나 자유로워진 행성 같던 그 완두콩. 나는 결심했다. 어른이 되면 K장녀 따윈 그만두고 바로 집을 떠나리라. 하지만 대학 졸업 후에, 나는 번번이 취업에 실패했다. 영영 집에서 빠져나갈 수 없으면 어쩌나 하는 불안이 점점 커져 가던 중에 도착한 다이아몬드 웨딩홀의 합격 통지는 그야말로 구원의 동아줄이었다.

그 동아줄이 썩은 동아줄이라는 걸 알기까진 오랜 시간이 걸리지 않았다.

첫 회식 날, 나는 생삼겹살로 탁 팀장의 뺨을 때렸다. 직전에 탁 팀장은 내 허리를 끌어안았고, 온갖 아르바이트로 성희롱에 이골이 난 데다 술에 취했던 나는 반사적으로 테이블에 놓인 것을 집어 들고 휘둘렀다. 생삼겹살은 차진 소리를 내며 탁 팀장

1호선에서 빌런을 만났습니다

의 뺨에 달라붙었다. 삶은 문어처럼 붉어진 탁 팀장의 입가에 조커와 같은 미소가 걸린 것을 본 순간, 나는 후회했다. 하다못해 상추로 때릴걸, 하고.

그날 이후 탁 팀장은 최선을 다해 나를 괴롭히고 있다. 성희롱 세 배, 갈굼도 세 배. 가장 참을 수 없는 건 업무까지 훼방 놓는다는 점이었다. 탁 팀장은 내 담당 손님에게 불쾌한 농담을 건넸고, 제때 결재를 해 주지 않아 예약 순서를 엉키게 만들었고, 자신의 이모가 한다는 식당을 끼워 넣은 패키지를 판매하라고 닦달했다. 탁 팀장 때문에 손님들이 클레임을 걸 때마다 정직원이 될 수 없을지도 모른다는 불안함이 쌓여 갔다.

"정직원 되려면 눈치 좀 키워, 최고은 씨. 엉덩이 사이즈만 키우지 말고."

탁 팀장은 언제나처럼 성희롱 멘트로 조회를 마쳤다. 내가 자리에 앉자, 옆자리의 윤인화가 입 모양으로 '괜찮아?'라고 물었다. 윤인화는 내가 오기 전까지 팀의 막내였고, 탁 팀장의 성희롱 타깃이었다고 했다.

"거기! 둘이 뭘 소곤거려!"

탁 팀장이 소리를 질렀다. 탁 팀장은 직원이 두 명 이상 함께 모여 있으면 무조건 짜증을 냈다. 화장실을 갈 때도 보고하고 한 명씩 가게 했고, 탕비실에도 한 명 이상 들어가지 못하게 했다. 점심시간에는 반드시 전 직원이 함께 밥을 먹어야 했다.

"하여간 여자들은 말이야. 툭하면 수다나 떨고. 음

모나 꾸미려고 들고 말이야. 똑바로 해, 똑바로!"

휴대폰이 울렸다. 나는 탁 팀장의 고함 소리를 뒤로하고 탕비실로 향했다. 탕비실 안에 들어가 통화 버튼을 누르자마자, 날 선 목소리가 튀어나왔다.

[너 왜 돈 안 보내! 100만 원 보내라고 했어, 안 했어!]

동시에 밖에서 탁 팀장이 또다시 소리를 질렀다.

"최고은, 커피 한 잔 타 와!"

수화기 너머에서는 돈을 보내라는 아우성이, 벽 건너에서는 커피를 타 오라는 고함 소리가 나를 때렸다. 전화는 내 쪽에서 끊을 수 있었지만, 탁 팀장의 목소리를 멈추게 할 방법은 없었다. 탁 팀장은 도돌이표가 붙은 노래라도 하듯 쉬지 않고 나를 불렀다. 모르는 사람이 들으면 내가 탁 팀장 커피를 들고 도망간 줄 알았을 거다.

"팀장님. 고은 씨 탕비실에 없다니깐요. 제가 타 드릴게요, 커피."

탕비실 안으로 진시영이 들어왔다. 예약부에서 가장 경력이 길어 '선배'라고 불리는 사람이다. 탁 팀장은 왜인지 진시영은 함부로 대하지 않았다. 성희롱을 하지도 않았고, 욕설을 퍼붓지도 않았다. 그래서 나는 진시영더러 탁 팀장에게 사과할 수 있게 도와 달라고 부탁했었다. 진시영은 나를 빤히 보며 "사과는 잘못한 쪽이 하는 거죠. 최고은 씨는 정말 본인이 사과해야 한다고 생각해요?"라고 되물었다.

1호선에서 빌런을 만났습니다

나는 대답하지 못했다. 지금까지도 대답하지 못하고 있는 탓에, 진시영을 대하는 것이 껄끄러워 피하고 있었다.

"없어? 그럼 어디 갔어?"

진시영은 종이컵에 믹스 커피 스틱 하나를 쏟아부어 대충 휘저었다.

"아까 화장실 간다고 저한테 보고했어요."

진시영은 커피 컵을 들고는 내게 눈길도 주지 않고 다시 탕비실을 나갔다. 주변이 조용해졌다. 나는 그대로 벽에 등을 기댄 채 쪼그리고 앉아, 무릎에 이마를 파묻었다. 석 달간 곱씹은 소원이 입 밖으로 흘러나왔다.

"하느님. 부처님. 우주인님. 누구든 탁 팀장 좀 잡아가세요."

그래 봤자 들어줄 사람은 없다. 설령 진짜 신이 있다 해도 이제껏 돈 한 푼 안 바친 사람의 부탁을 들어주진 않을 거다. 내가 착실히 헌납해 온 대상은 주(酒)신뿐이다. 오늘도 혼술 확정. 나는 길게 숨을 내쉬고, 탕비실을 나왔다.

*

'다이아몬드 웨딩홀'은 신도림에 있고, 나는 오산에 산다. 출퇴근 시간은 도합 2시간 40분이 걸리고 주로 이용하는 교통수단은 지하철이다. 처음 서울행을 결정했을 땐 회사 근처의 집을 알아봤다. 검색

30분 만에 알았다. 내가 가진 돈으로는 신도림에 원룸조차 얻을 수 없다는 것을. 며칠째 부동산 매물을 들여다보고 있는데 친구인 하연에게서 전화가 왔다. 서울에서 스포츠 마사지사로 일하고 있던 하연은 고향에 마사지 숍을 내기로 했다고 말했다.

"나는 서울 가는데, 넌 이쪽으로 와?"

"뭐야, 최고은, 서울 와? 이제야? 너 인서울 대학 붙고도 집 근처 대학 갔었잖아."

그랬다. 내가 사는 지방에 있는 대학에 가야 장학금을 받을 수 있었으니까. 가족들 중 누구도 내가 대학에 가는 것을 바라지 않았다. 아버지 왈. "동생이 세계적인 축구 선수가 되기 위해서는 뒷바라지를 잘해 줘야 하고, 그래서 집에 돈이 없으니 학비는 네가 알아서 해라." 어머니 왈. "내후년이면 네 동생이 고3인데 네가 서울 가면 애 밥은 누가 챙겨 주니. 누나가 되어 가지고는." 동생 왈. "네 주제에 대학 나와서 뭐 하려고." 동생은 다음 해 폭행 사건을 일으켜 축구를 그만두었고, 그다음 해 대학에 떨어져 재수 학원에 등록했다. 지금은 삼수 끝에 대학 진학을 포기하고 부모님이 운영하는 고깃집에서 일하고 있다.

"취직했어. 근데 서울 집값 미쳤더라. 일주일 안에는 구해야 되는데. 큰일 났어."

"너 알바를 그렇게 미친 듯 했는데 돈이 없어?"

하연이 이상하게 여길 만도 했다. 외제 차를 몰고 다니는 부모님과 돈 잘 쓰기로 유명한 동생, 직원만

다섯 명인 으리으리한 고깃집의 첫째가 아르바이트를 했다. 고등학생 때부터 방학마다 아침부터 밤까지 가게 세 곳을 옮겨 다니면서 돈을 벌었다. 아르바이트를 하느라 대학 MT도 못 가고, 눈 아래 시커먼 다크서클이 배꼽까지 내려온 상태로 돌아다녔다. 주변 사람들은 잘사는 집 자식이 왜 그러냐고 의아해했다. 악착같이 돈을 벌었던 이유? 돈이 필요했으니깐. 아버지는 내게 3만 원, 5만 원, 10만 원씩 돈을 빌려 달라고 했다. 물론 한 번도 돌려받지 못했다. 어머니는 내게 장을 봐 놓으라고만 하고 돈은 주지 않았다. 서랍에 넣어 둔 내 돈을 동생이 몰래 가지고 나간 날, 나는 동생을 때렸고 아버지는 나를 때렸다.

내가 대답하지 못하고 머뭇거리자 하연은 캐묻는 대신 솔깃한 제안을 건넸다.

"나 사는 데 넘겨줄까? 오산인데, 서울까지 지하철로 한 시간 좀 넘게 걸려. 역까지는 걸어서 5분. 우리 이모가 집주인이니깐 월세 맞춰 줄 수 있냐고 물어볼게. 네가 들어오면 내가 쓰던 집기도 다 두고 갈게. 여기 세탁기까지 빌트인으로 다 있어."

마다할 이유가 없었다. 다음 날 바로 오산에 가서 계약을 했고 일주일 후에 이사를 했다. 하연은 나를 데리고 원룸 주변을 돌며 단골 백반집과 미용실을 알려 주었고 우리는 함께 자장면 세트를 시켜 먹었다. 하연은 내게 왜 이사 날 가족이 아무도 오지 않았냐고 묻지 않았고, 나는 그것이 고마웠다.

"회사 있는 데가 신도림이야? 그럼 1호선 타야 겠네."

"안 갈아타고 가는 게 편하니깐, 그렇게 하려고."

그러자 하연은 하나 남아 있던 탕수육을 내 앞으로 밀었다.

"먹고 힘내. 1호선이라니."

"1호선이 왜?"

"몰라? 거기엔 빌런들이 있어."

대체 무슨 소리인가 싶었다. 1호선이 유니버설 스튜디오도 아니고 무슨 빌런들이 있다고. 나는 하연이 농담을 한다고 생각하며, 탕수육을 먹었다.

하지만 웬걸. 그건 농담이 아니었다.

*

퇴근 시간 즈음의 1호선은 대중교통이 갖추어서는 안 될 모든 악덕의 집합체가 된다. 붐비고, 느리고, 퀴퀴하다. 1호선은 대한민국 최초의 지하철 노선이다. 이 말인즉슨, 오래되었다는 뜻이다. 수도권 전철 1호선 차량 중에는 10년쯤 묵은 파란색 천 커버가 씌워진 의자가 놓인 것도 있다. 좋게 보면 빈티지 에디션, 적나라하게 말하자면 낡았다. 퀴퀴함의 원인 중 절반쯤은 저 의자가 아닐까 싶다.

'집에 가면 맥주. 맥주가 기다리고 있다.'

옆구리를 찌르는 팔꿈치 어택과 앞에 선 낯모를 누군가의 정수리 냄새를 한참 동안 견디니 구원의

1호선에서 빌런을 만났습니다

방송이 들려왔다. 이번 역은 금정, 금정역입니다. 4호선 환승역인 금정역을 지나면 그래도 숨 쉴 여유가 생긴다. 지하철 문이 열리고 사람들이 우르르 내렸다. 그리고 그가 올라탔다. 흰 한복을 갖추어 입은 '오일장 할머니'가. 할머니는 전철 바닥에 털썩 주저앉아 메고 있던 가방에서 보자기를 꺼내 바닥에 펼쳤다.

빌런. 1호선에는 진짜 빌런들이 있다.

화려한 코스튬플레이로 유명한 자르반 84세를 비롯하여, 짐칸에 올라가 아래를 노려보는 블랙 스파이더맨, 예수 만세 불신 지옥 노래를 부르는 콘스탄틴 등등. 1호선 이용자들 사이에서는 '빌런은 건드리지 않는다.'가 불문율이다. 불필요한 싸움이라도 벌어졌다가는 안 그래도 느린 열차가 더 느려질 수 있기 때문이다. 1호선의 빌런들은 주 활동 무대가 1호선이었기에 생존할 수 있었고, 빌런들 덕분에 1호선 탑승객들은 웬만한 기인의 출연에도 자신의 휴대폰 화면에 집중할 수 있는 평정심을 가지게 되었다.

'오일장 할머니'는 1호선 K667, 312B05호에만 나타나는 빌런으로 유명하다. 할머니는 5일 텀으로 전철에 나타나서 전철 안에 좌판을 펼쳤다. 파는 것은 한 뼘 크기의 불투명한 병인데 안에 무엇이 들었는지는 아무도 모른다. 나는 휴대폰을 꺼내다가 힐끔, 오일장 할머니 쪽을 바라보았다. 할머니 앞에 놓인 병들 중 유독 하나가 눈에 들어왔다.

'저 병만 투명하네. 안에 든 저 둥근 건 뭐지?'

불투명한 병들 사이에서 투명하게 반짝이는 병. 그런 거 있지 않은가. 편의점에서 냉장고를 딱 열었을 때, 수많은 맥주들 사이에서 "오늘은 꼭 나를 마셔 주세요. 플리즈 드링크 미!"라고 말하는 듯 시선을 끄는 운명 같은 한 캔. 그 유리병이 그랬다. 좀처럼 눈을 뗄 수가 없었다. 저걸 살까 말까 망설이는데 지하철 문이 열림과 동시에, 모두의 시선이 한곳으로 쏠렸다.

"드디어 찾았다. 거기, 꼼짝 말고 이 보안관님의 지시를 따르도록 하시오!"

새로운 빌런의 등장이었다. 7월 한여름에 덥지도 않은지 털 달린 롱 코트를 입고, 허리에는 금색의 커다란 별 장식이 달린 허리띠를 찬 할아버지는 지하철에 타자마자 무서운 기세로 고함을 쳤다. 이쯤 되면 1호선 지하철 레일이 깔린 곳에 특이한 기운이라도 흐르는 건 아닐까 싶었다. 잠시간 자칭 보안관을 바라보던 사람들은 곧, 다시 휴대폰으로 시선을 돌렸다. 그도 그럴 것이 보안관은 느렸다. 한 발 한 발 내딛는 걸음이 나무늘보마냥 느려서 슬로 모션 비디오를 보는 것 같았다. 전혀 위협적이지 않았다.

"망할. 저 새파랗게 젊은 놈이 여기까지 쫓아왔네."

오일장 할머니는 보자기 위 물건을 그러잡아 싸들고는 벌떡 일어나더니, 갑자기 내 앞으로 다가와 병 하나를 내밀었다.

1호선에서 빌런을 만났습니다

"받아라. 배양될 때 딴 종자에게 치여서 좀처럼 안 자라던 녀석인데, 너와 파장이 맞아. 너 이거 보이지?"

얼떨결에 받아 들었다.

"5000원. 아, 빨리! 저놈한테 잡히면 국물도 없어."

할머니의 성화에, 역시나 얼떨결에 돈을 건넸다.

"좋은 거야, 그거."
"뭐가 좋은데요?"

흡사 마약 밀거래라도 하는 듯 은밀하고도 진지한 목소리로, 할머니는 속삭였다.

"말이 씨가 되는 거지. 물만 잘 주면 돼."

말을 마친 할머니는 무릎을 굽히더니 제자리에서 폴짝 뛰었다. 순간 엄청난 무게감이 내 몸을 덮쳤다. 지구의 중력이 온 힘을 다해 나를 끌어 내리는 느낌이었다. 주저앉고 싶은 것을 간신히 참았다. 속이 뒤틀린 듯 토기가 치밀어서 마른침을 몇 번이고 삼키며 지하철 창밖을 본 나는 흠칫 놀랐다. 오일장 할머니가 열차와 비슷한 속도로, 밖을 달리고 있었다.

"또 도망갔어! 망할! 이 보안관을 뭐로 보고!"

보안관이 지하철 출입문에 달라붙어 서서는 마구 고함을 질렀다. 하지만 그뿐이었다. 지하철 내 다른 사람들은 창밖의 할머니가 보이지 않는 건지, 그저 평온해 보였다. 고개를 돌리자 창밖 할머니와 눈이 마주쳤다. 내가 목격한 것은 분명 일상의 범위를 넘어선 것이었다. 하지만 오일장 할머니와 눈이 마주친 그 순간, 그것은 일상의 범위 안으로 껑충 뛰어들었다. 놀랍지도 무섭지도 않았다.

지하철은 다음 역에 도착했고 보안관은 느릿하게 내렸다. 나도 몇 정거장을 더 지나친 후 내려야 할 곳에서 내렸다. 나는 여전히 그저, 맥주를 마시고 싶었다. 집 앞 편의점에 들러 맥주와 육포를 샀고 집에 들어가자마자 현관 앞에 쓰러지듯 드러누웠다. 누가 회사 좀 폭파해 줬으면. 아니지. 회사는 죄가 없다. 회사가 폭파되면 나는 뭐 먹고 살라고. 기껏 사 온 맥주가 미지근해지기 전에 마시자 싶어 몸을 일으키는데 주머니 안에서 병이 굴러떨어졌다. 오일장 할머니가 준, 반짝이는 투명한 병. 나는 병을 손에 들고 살펴보았다. 병 바닥에는 '우주 씨앗'이라고 쓰여 있었고, 안에 든 것은 아몬드 모양의 분홍색 씨앗이었다.

'핵폭탄이라도 든 줄 알았더니 씨앗이었네.'

지금 내게 필요한 건 씨앗보다는 맥주다. 나는 병을 도로 주머니에 넣었다. 대충 화장을 지우고 침대에 걸터앉아 딱 두 캔까지만 마시자고 결심하며 맥주 캔을 땄다. 혼술은 딱 두 캔까지가 좋다. 두 캔을 넘어가면 꾹꾹 눌러 놓은 감정들이 맥주에 녹아, 몸안에서 슬픔과 외로움을 기포로 만들어 몽글몽글 떠오르게 만든다. 몸 안에서 만들어진 감정의 기포는 마셔서 없앨 수도 없다. 다시 가라앉기를 기다리는 수밖에.

1호선에서 빌런을 만났습니다

그러나 이번에도 그 결심은 지켜지지 않았다. 네 캔째 맥주를 따는데 주머니 안에 넣어 둔 병이 밖으로 굴러 나왔다. 병을 집어 들어 뚜껑을 열고 뒤집으니 안에서 씨앗이 굴러 나왔다.

"너 왜 이렇게 뒹굴어. 집이 없어서 그런가? 나도 집 없고! 너도 집 없고! 가만있어 봐. 내가 네 집 하나쯤은 만들어 줄 수 있지."

나는 부엌으로 가 컵에 물을 담았다. 컵 안에 씨앗을 넣으니, 씨앗은 컵 속에서 빙그르르 돌다가 천천히 가라앉았다. 나는 씨앗이 담긴 컵을 침대 머리맡에 놓았다.

"우주. 오늘부터 넌 우주다. 우주야. 쑥쑥 자라서 탁 팀장 좀 잡아가라."

다음 날 아침, 잠에서 깨어나니 우주의 끝에 반원 모양의 커다란 깍지가 달린 긴 줄기가 자라나 있었다. 전체적으로는 완두콩 깍지 형태인데, 둥그런 부분 가운데가 파리지옥처럼 살짝 벌어져 있고 가장자리에는 돌기가 돋아나 있었다. 일주일이 지나자 우주의 깍지는 내 손바닥만 하게 커졌다. 깍지 안에 뭐가 들어 있는지 궁금했지만 아까워서 따지 않았다. 혹시 이게 〈잭과 콩나무〉의 콩나무처럼 크게 자랄지 누가 알겠는가. 그런 낌새가 보이면 재빨리 회사로 가져가서 탁 팀장의 자리에 심어야지 싶었다. 그럼 콩나무가 땅바닥을 뚫고, 탁 팀장의 몸도 뚫어 버릴 것이다. 그런 상상을 하면 기분이 좀 좋아졌다.

불판 위 고기가 타들어 간다. 부장이 소집한 전 부서 회식 자리였다.

"분위기 쇄신 차원에서 하는 거니깐, 다들 파이 팅 있게 가자고!"

파이팅 넘치는 회식이 될 리가 없었다. 오늘, 윤 인화는 회사에 나오지 않았다. 경찰이 찾아왔고, 탁 팀장은 부장에게 불려 갔다가 똥 씹은 표정으로 돌 아왔다. 회사 남자들 몇몇이 단톡방에서 회사 여자 들의 사진을 공유했고 그중에 윤인화의 얼굴이 나 온 사진이 있었다고 했다. 단톡방을 만든 사람은 탁 팀장이었다.

"요즘 여직원들이 문제라고요. 아니, 단톡방에 이 런 직원이 있다, 얼굴 익혀서 오고 갈 때 인사하 고 지내라, 그런 뜻으로 올린 거였어요. 남자들끼 리 농담 좀 하고 지내려고 단톡방 만든 거뿐이라 니깐요. 보나마나 뻔해요. 합의금 뜯어내려는 거 지. 윤인화 그거, 입사한 지 1년밖에 안 된 애가 얼마나 영악하던지. 꼭 예전의 그 미친년 보는 것 같았다니깐."

탁 팀장은 임원진이 모인 탁자에 앉아 큰 목소리 로 떠들었다. 남자들은 탁 팀장의 말에 맞장구를 쳤 고 여자들은 가장 멀리 떨어진 탁자에 모여 앉아 묵 묵히 고기를 먹었다. 나는 주머니 안의 휴대폰을 만 지작거리느라 먹는 데 집중할 수 없었다. 고기 판이 한 번 갈리고 빈 술병이 테이블 한쪽에 쌓이자 여자들 사이에서 툭툭, 말이 터져 나왔다.

"찝찝해. 그 단톡방에 내 사진 없다는 보장이 어디 있어."

"얼굴 사진만 올렸다는 것도 거짓말이겠지. 탁 팀장이 만든 단톡방이면 뻔하지 않아? 2년 전에 그 소동 일으키고도 변하지를 않네."

"사람이 그렇게 쉽게 변하겠어?"

"왜, 변했잖아. 진시영. 그때는 탁 팀장한테 정면으로 맞서더니, 오늘 여기 오지도 않았잖아. 이젠 이런 일에 휘말리기 싫다는 거지."

나는 휴대폰을 어루만지며 사람들의 말을 주워들었다. 탁 팀장에 대한 말이 나올 거야 예상했지만, 곳곳에 진시영의 이름이 섞여 나오는 것은 의외였다. 아무래도 내가 모르는 사건이 있었던 게 분명했다. 나는 주변을 살피다 타깃을 정했다. 이미 취한 기색이 역력한, 그러나 말은 멀쩡하게 잘하고 있는 두 사람. 내가 알고 있는 사실은 그 둘이 기획부 직원이라는 것뿐이었다. 그래도 상관없었다. 내겐 술에 취해서 재떨이 휘두르던 손님의 주소를 알아내서 대리 태워 보냈던 스킬이 있었다. 나는 두 사람 사이에 끼어들었고 5분 만에 그들과 언니 동생하고 부르며 러브 샷을 했다.

"언니들. 근데 예전에 탁 팀장하고 진시영 선배, 싸웠어요?"

내가 넌지시 묻자 그들은 앞다투어 썰을 풀어 댔다. 두서없이 이어진 그들의 이야기를 잘 꿰어 맞춘

결과는 이랬다. 2년 전, 탁 팀장은 기획부 과장이었고 진시영은 기획부 주임이었다. 그때 탁 팀장은 인턴으로 들어온 신입 사원을 스토킹했다. 견디다 못한 신입 사원이 탁 팀장을 고소했을 때 증인으로 나서 준 유일한 사람이 진시영이었다. 하지만 재판은 길어졌고 정신적으로 피폐해진 신입 사원은 결국 합의를 선택, 일은 마무리되었다. 회사는 그때까지 없던 예약부 팀장 자리를 만들고는 탁 팀장에 대한 징계라며 그 자리로 좌천 명령을 내렸다. 탁 팀장의 자리를 보전해 주기 위한 조치임이 빤히 보였다. 동시에 진시영도 예약부로 발령이 났다. 말이 발령이지 기획부에서 단순 상담직으로의 발령은 권고사직이나 다름없었다. 진시영이 회사를 그만두면 탁 팀장도 금세 기획부로 돌아갈 것이다, 라는 게 당시의 지배적인 여론이었다.

"진시영이 지금까지 버틴 게 용하지. 사실 할 만큼 했어. 진시영 아니었으면 인턴, 꽃뱀으로 몰렸을걸."

"걔 노이로제 걸려서 자살 시도했다는 소문도 있었어."

"이사 아들을 누가 자르겠어. 탁 팀장 집안, 정계에도 연줄 있다며. 건드려 봤자야."

"고소당해도 뭐…. 한 징역 1년쯤 받았겠지."

"맞아! 그러다 감형받고. 방송국 화장실에 몰카 설치했다가 걸렸던 개그맨, 그 사람도 2년밖에 안 받았잖아. 이 더러운 세상. 야, 마시자. 마셔! 마시고 회사 폭파해 버리자!"

1호선에서 빌런을 만났습니다

이야기는 거기까지였다. 기세 좋게 술잔을 들어 올린 여자는 앞으로 고꾸라지더니 토했다. 여자가 뿜어낸 토사물이 내 셔츠 앞자락에 쏟아졌다. 한순간 주변이 부산스러워졌고, 나는 물티슈로 대충 닦아 낸 옷자락을 부여잡고 화장실로 향했다. 호프집 화장실은 건물 밖에 있었다. 건물 뒷문으로 나가는데, 한쪽에 모여 서서 담배를 피우는 남자들의 목소리가 들렸다.

"진짜 우린 괜찮은 거 맞겠지?"

"탁 팀장님이 알아서 한다잖아. 우리한테 무슨 죄가 있냐. 억지로 단톡방 끌려 들어간 건데. 어디에 사진 퍼 나른 것도 아니고."

"팀장님도 취향 진짜 이상해. 여자들 똥 싸는 사진 올라올 때마다 구역질 나."

"이젠 안 올라올걸. 팀장님, 내일 건물 문 열자마자 카메라 떼어 내러 가야 한다고 투덜거리더라. 단톡방도 폭파했으니깐, 뭐."

"또 만들 거 아냐. 진짜 회사 생활 힘들다, 힘들어."

힘든 건 너희가 아니다. 나도 아니다. 주머니에서 휴대폰을 꺼냈다. [고은 씨. 탁 팀장이 성추행했다는 거, 증언해 줄 수 있을까요?] 짧지만 필사적인 메시지가 도착한 지 어느새 8시간이 지났다. 아직도 메시지에 답하지 못한 터였다. 나는 휴대폰을 만지작거리다가 뒤돌아섰다. 셔츠에서 나는 퀴퀴한 냄새는 더 이상 신경 쓰이지 않았다.

'윤인화가 탁 팀장을 고소해도 소용없을 거야.

이 부탁을 들어줬다가, 나도 진시영처럼 밀려나면…. 아냐. 밀려날 자리도 없잖아. 정직원 전환안 되면 그걸로 끝이야. 다른 곳에 취직할 때에문제가 될 수도 있어. 하지만 내가 부탁을 안 들어주면 윤인화는?'

노이로제에 걸려 자살 시도를 했다는, 얼굴 모르는 누군가. 그 누군가가 내 옆자리에 앉아 있던 윤인화가 될 수도 있다. 그리고 어쩌면 내가 될 수도있다. 하지만 정직원 자리를 쉽게 포기할 수는 없었다. 호프집으로 돌아가 자리에 앉은 후에도 생각은계속 제자리를 맴돌았다. 찬물을 들이켜는데, 탁 팀장이 내가 앉은 자리로 다가왔다. 탁 팀장은 내 어깨에 양손을 올리고는 위에서 아래로 천천히 쓰다듬었다. 오소소 피부에 닭살이 돋아났다.

"최고은 씨. 많이 먹어. 그래야 쑥쑥 크지."

앞에 놓인 맥주잔을 들어 탁 팀장의 머리통을 내려치고 싶었다. 하지만 나는 아무것도 하지 못했다. 탁 팀장이 내게서 손을 떼자마자 자리에서 일어나가방을 집어 들었다.

"저, 막차 시간이 다 되어서 먼저 가 보겠습니다."

나는 호프집을 나왔다. 지하철역으로 가는 내내닭살은 가라앉지 않았다. 지하철 플랫폼에 서 있는동안에도, 지하철을 탄 후에도. 밤 11시가 넘은 시간의 지하철 1호선은 처음 보는 수준으로 한가했다. 나는 문에 가장 가까운 자리에 앉아 솟아오른 닭살을 손톱 끝으로 꾹꾹 눌렀다.

1호선에서 빌런을 만났습니다

"젊은이. 씨앗 받았지?"

어느새 보안관이 내 옆에 앉아 있었다. 번쩍이는 금색 별 장식이 모자 위에서 빛났다. 그 별을 보고 있자니 복잡하던 머릿속이 점점 깨끗이 비워져 갔다.

"우주 씨앗을 받았냐니깐?"

내가 빤히 별만 바라보고 있자, 보안관이 재차 물었다. 우주 씨앗? 나는 침대 머리맡에 놓인 깍지를 떠올렸다.

"벌써 싹이 텄군. 회수는 못 하겠어. 이봐, 조심해. 그 열매는 절대 먹으면 안 돼. 그건 사람의 마이너스 기운을 먹고 자라거든. 먹으면 뭔 일이 일어날지 예측이 안 돼. 전에 발화했던 놈은 폭발했어. 그놈의 할망구. 유명한 식물학자면 뭐 해. 툭하면 이 별 저 별 다니면서 이런 불법 실험이나 하는데. 사이코 과학자야, 완전히."

"과학자요?"

"그렇지. 나는 우주 보안관이고. 여기, 1호선 K667. 312B05호. 딱 여기가 우주와 연결된 터널이거든. 잠복하고 있으면 그 할망구와 한두 번은 마주치겠거니 했어. 이번에도 놓쳤지만."

지하철이 역에 가까워지자, 보안관은 자리에서 일어났다.

"하긴, 젊은이는 마이너스 기운을 좀 뿜어낼 필요가 있어 보이긴 해. 이 나라에는 왜 이렇게 꾹 참는 애들이 많은지 몰라. 어쨌든 난 분명히 경고를 했어. 이걸로 내 의무는 다한 거지."

열차가 멈춰 섰고, 보안관은 역시나 느리게 걸어 내렸다. 우주에서는 보안관을 뽑을 때 체력 검사를 안 하나 보다. 내 팔뚝에 솟아오른 닭살은 그사이 가라앉아 있었다.

'… 내 마이너스 기운을 먹고 자란 열매는 어떻게 생겼을까.'

집에 도착한 나는 잠시 고민하다, 우주의 열매를 손가락 끝으로 건드려 보았다. 깍지가 활짝 열리더니 안에서 동그런 열매 네 개가 쏟아져 나왔다. 침대 위에 떨어진 열매를 주우려는데 메시지가 왔다. 엄마였다. 또 돈 이야기였다. 나는 휴대폰을 집어 침대 아래로 던졌다.

'동생의 해외여행비 100만 원을 내가 주는 게 왜 당연한 걸까.'

하지만 결국 나는 주게 될 거다. 엄마는 내게 찾아와 반찬 통 두어 개를 내밀며 가족이 최고라 말할 것이다. 그래도 내가 돈을 안 주면 문밖에서 썩을 년이라고 고래고래 소리를 지를 것이고, 나는 그 소모적인 과정을 견디지 못해 또 돈을 건넬 것이다. 엄마도 그걸 알고 있는 거다. 탁 팀장이, 자신이 무슨 짓을 해도 무사할 것임을 알고 있듯이. 이불 위를 굴러다니는 열매가 보였다. 우주의 열매다. 깍지를 부수고 나온 열매. 호두보다 약간 작은, 반투명한 옅은 분홍색 열매는 얼핏 알사탕처럼 보였다. 하나를 들고 살짝 핥았다. 달콤한 맛이 났다.

하지만 나는 쉬이 그 열매를 입에 넣을 수 없었

다. 나는 침대에 드러누워 손바닥 안의 열매를 계속 굴리다 잠들었다. 깊이 잠들지 못하고 자다가 깨기를 반복하다, 결국 새벽 4시 반에 침대에서 일어나 앉았다. 열매는 여전히 내 손바닥 안에 있었다. 이걸 먹으면 무슨 일이 일어나는 걸까. 이전의 열매는 폭발했다고 했다. 먹은 사람이 폭발했다는 걸까. 그것도 나쁠 것 없다. 내가 폭발하면, 이 답답함도 다 폭발하여 사라질 것이다. 나는 열매를 입안에 넣었다. 열매는 혀에 닿자마자 사르륵 녹아 사라졌다. 달콤하고도 짭조름한 맛이 입안을 가득 채웠다. 중독성 있는 맛이었다. 입맛을 다시며 한 알, 또 한 알. 네 알을 모두 먹었다.

아무 일도 일어나지 않았다.

하지만 언젠가 폭발할지도 모른다. 폭발할 거라면 무슨 일을 벌여도 괜찮지 않을까. 나는 집을 나섰다. 새벽 6시가 채 되지 않은 시간, 지하철을 탔다. 휴대폰으로 '몰카 찾는 법'을 검색했다. 휴대폰의 플래시를 터뜨려 사진을 찍었을 때 하얀 점이 나오면 몰카가 있을 확률이 높음. 길고 복잡한 이름의 와이파이가 잡히는 경우에도 의심해 볼 것. 사무실 건물은 아침 7시에 출입문을 연다. 탁 팀장보다 먼저 도착해야 한다는 생각에 역에서 내리자마자 뛰듯이 걸었다. 회사에 도착해 곧장 예약실이 있는 3층의 여자 화장실로 향했다. 한 칸씩 들어가 곳곳을 휴대폰으로 찍었다. 그중 한 장에 흰 점이 찍혀 나왔다. 그 사진이 찍힌 칸의 휴지걸이 나사 부분에서 반짝이는 둥그런 불빛을 찾았다. 카메라였다. 나는 찾아낸 카메라를 사진으로 찍고 동영상 녹화도 했다. 최소한의 증거 확보 완료다.

이젠, 기다림의 시간이다. 나는 옆 칸으로 들어가 변기에 쪼그려 앉았다. 분명 올 것이다. 카메라를 설치한 사람이, 자신의 죄를 없었던 것으로 만들기 위해. 화장실 바닥에서 올라오는 퀴퀴한 냄새에 코가 완전히 마비되었을 때쯤 누군가 화장실 안으로 들어오는 소리가 들렸다. 둔탁한 구두 굽 소리는 바로 옆 칸, 카메라가 숨겨져 있던 곳의 문 앞에서 멈췄다. 나는 변기를 밟고 일어나 서서 까치발을 들어 칸과 칸의 천장 틈으로 손을 내밀어 녹화 버튼을 눌렀다. 옆 칸에서 휴지걸이를 잡아 빼는 듯 덜그럭거리는 소리가 잠시간 났다. 이대로 들키지만 않으면 성공이다. 카메라를 회수하는 모습이 찍힌 영상이라면, 탁 팀장이 여자 화장실에 카메라를 설치했다는 증거가 될 터였다.

옆 칸에서 나던 소리가 멈췄다. 한순간의 정적 뒤로, 탁 팀장의 고함 소리가 터져 나왔다.

"뭐야. 저거…. 옆에 누구야! 어떤 새끼가 수작질이야!"

들켰다. 나는 다급히 변기 위에서 뛰어내려, 화장실 칸의 문을 잠갔다.

"뭐야. 최고은, 너야?"

흠칫 놀랐다. 탁 팀장이 옆 칸의 변기를 밟고 올라, 천장의 틈 사이로 얼굴을 내밀어 나를 내려다보고 있었다. 탁 팀장은 틈 너머로 손을 뻗어 나를 잡으려는 듯 마구 휘저었다.

"뭘 노리는지 모르겠는데, 헛수고야! 야, 지금도 녹화하고 있지? 잘 들어. 내가 여기 온 건 순찰 때문이라고. 회사에 안 좋은 일이 생겼으니깐, 혹시 몰라서 여자 화장실까지 쭉 둘러보기로 한 것뿐이야. 알았어?"

"순찰 아니잖아요. 카메라 설치하신 거잖아요!"

도망가야 했다. 내가 화장실을 빠져나가는 속도가 탁 팀장이 변기에서 내려오는 속도보다 빠르기를 바라며 뛰쳐나왔다. 미끄러지듯 세면대 앞을 지나 화장실 문을 열고 복도로 한 발을 내디뎠다. 빠져나왔다는 안도감은 잠시, 뒤에서 뻗어 나온 손이 내 머리카락을 움켜잡았다.

"왜 설쳐, 설치기를. 누가 카메라를 설치했다고 그래. 진짜 내가 그랬으면 똥이다, 똥."

탁 팀장이 내 귓가로 거친 숨소리를 내쉬며 이죽거렸다. 탁 팀장은 내 머리채를 움켜쥔 채, 다시 화장실 안으로 들어가려 했다. 이대로 끌려 들어가면 죽을지도 모른다는 공포가 치밀어 올랐다. 그때였다. 누군가의 발소리가 들렸다. 나와 탁 팀장 아닌 누군가가 건물 안으로 들어온 게 분명했다.

"누구, 누구 좀…!"

뒤로 꺾인 목에서 간신히 목소리를 끌어 올리는데, 목 한가운데가 타는 듯이 아파 왔다. 컥, 마른기침을 하자 목 안에서 무언가 튀어나왔다. 열매였다. 내가 먹었던 우주 씨앗의 열매. 열매는 땅에 닿자마자 건물 천장에 닿을 만큼 커졌다. 열매의 한가운데가 쩍 벌어지더니, 씨앗의 안쪽에서 뻗어 나온 돌기가 탁 팀장의 몸을 휘감아 열매 안으로 끌고 들어갔다. 눈 깜짝할 사이에 일어난 일이었다. 탁 팀장은 비명도 지르지 못한 채 열매 안으로 사라졌고 열매는 입을 닫았다. 다급한 발소리가 내 앞에 와 멈췄다.

"고은 씨, 괜찮아? 세상에. 저게 무슨…."
"방금 봤어요, 선배? 저게 탁 팀장을 삼켰어요."

나는 입을 다문 열매와, 복도에 널브러진 나를 부축하는 진시영과, 놀란 듯 열매를 바라보는 윤인화를 차례로 봤다. 열매가 탁 팀장을 삼킨 것보다 때마침 진시영과 윤인화가 나타난 게 더 비현실적으로 느껴졌다.

"몰래 나가려고 했는데 고은 씨가 탁 팀장에게 끌려가는 게 보이잖아요."
"몰래 나간다구요? 왜 여기 있는 건데요, 두 사람?"
"탁 팀장 컴퓨터 하드 복사하려고 몰래 들어왔어요. 고소할 때 도움이 될 만한 자료가 있지 않을까 해서요. 제가 진시영 선배한테 도와 달라고 했어요. 선배가 건물 문 열어 주고, 컴퓨터 비번도 해제해 줬어요. 최고은 씨야말로 여기 왜 있어요. 탁 팀장님하고 몸싸움은 왜 하고."
"탁 팀장이 설치해 둔 카메라 찾으러 오는 거 찍으려고…."

1호선에서 빌런을 만났습니다

갑자기 폭죽이 터지는 듯한 폭발음이 울렸다. 반사적으로 귀를 막은 내 머리 위로 열매의 과육 조각이 흩날리듯 떨어졌다. 우주의 열매는 폭발했다. 열매가 있던 곳에는 누렇고 냄새나는 둥그런 덩어리만 남았다. 나와 진시영, 윤이화는 머리를 맞대고 그것을 들여다보았다.

"이거, 아무리 봐도⋯."

"똥이네요. 탁 팀장님이 똥이 되셨군요."

나와 진시영, 윤인화의 눈빛이 서로 마주쳤다. 누가 먼저랄 것도 없었다. 우리는 화장실로 들어가 집게와 비닐봉지, 빗자루와 걸레를 들고 나왔다. 나는 집게로 탁 팀장을 집어 비닐봉지 안에 넣었다. 진시영이 열매의 파편을 쓸어 내고 윤인화가 걸레로 남은 자국을 닦았다. 환상적인 팀워크였다.

"그럼 이건 어떻게 할까요?"

"혹시라도 사람으로 돌아오지 못하게, 확실히 마무리를 하죠."

우리는 화장실 안으로 들어갔다. 변기 안에 탁 팀장과 열매 파편을 쏟아부었다. 레버를 누르자 물줄기가 소용돌이치며 모든 것을 쓸어 내렸다. 만약 탁 팀장이 다시 인간이 되어도 오물 범벅인 하수도 안에서 눈을 뜨게 될 것이다.

"기어 올라올지도 모르니깐."

진시영은 다시 한번 레버를 눌렀다. 콸콸콸 물소리를 뒤로하고 나와 진시영, 윤인화는 화장실을 나왔다. 나는 그제야 진시영의 옷이 어제와 똑같다는 걸 알았다.

"선배. 혹시 어제 회사에서 밤새웠어요?"

"안에 있어야 건물 출입문을 열죠. 컴퓨터 비번이야 시스템 파일 초기화하면 되지만."

"왜 그렇게까지…."

뒤돌아본 진시영과 눈이 마주쳤다. 진시영은 눈가에 옅은 주름이 잡히게 웃고 있었다.

"예전에 탁 팀장이 나한테 그러더라고요. 뭐 하러 버티냐고. 그런 사람들은 몰라요. 잘 참는 사람들이 한번 터지면 무섭다는 걸. 터트리려고 참는 사람도 있다는 걸."

구구절절 이야기를 더 듣지 않아도 짐작할 수 있었다. 진시영은 어떠한 형태로든 탁 팀장과 매듭을 지을 날을 기다렸던 것이다. 앞서 걷던 진시영이 탕비실 앞에서 멈춰 섰다.

"우리, 커피 한잔할까요?"

우리는 함께 탕비실 안에 들어가 섰다. 진시영은 커피 믹스를 컵에 털어 넣고는 우아한 손짓으로 휘저어, 내게 내밀었다. 새벽을 넘어선 아침의 커피 냄새가 코끝을 맴돌았다. 내 휴대폰이 울렸다. [딸. 진짜 돈 안 보낼 거니? 엄마가 반찬 좀 들고 갈까? 아니면 집에 한번 오렴. 이야기 좀 하게.] 나는 메시지를 읽으며 커피를 마셨다. 쌉쌀하면서도 달콤한 맛이 몸 아래로 흘러 들어갔다. 진시영이 타 준 커피의 맛은 우주 열매의 맛과 닮았다. 그 맛은 오일장 할머니가 달리는 열차 밖으로 사라졌을 때 느꼈던 무게감을 불러왔다. 어지럽게 온몸을 뒤흔들던 중력이 재배치되었음을 깨달았을 때, 탕비실의 작은 창문 너머로 햇살이 비쳐 들어왔다. 순간 그곳은 그저 탕비실이 아닌 작은 캡슐 우주선이 되었다.

내가 먹은 열매는 네 개였다. 하나를 토해 냈으니, 세 개가 몸 안에 남아 있을 것이다. 나는 휴대폰 자판을 꾹꾹 눌러 답장을 보냈다.

[주말에 집에 갈게요.]

궤도를 이탈해 새로운 우주로 떠날 때이다.

아주 작은

날갯짓을
너에게

줄게

날개를 묶는다. 매일 아침 나와 동생은 서로의 날개를 묶어 준다. 깃털 끝에 강력 테이프를 붙여 등에 접착하고 그 위에 보호대를 차면 준비 완료다. 어릴 때부터 해 온 일이지만 보호대 안에 날개를 밀어 넣을 때의 답답함은 좀처럼 익숙해지지 않는다.

"보호대 때문에 등에 살찐 것처럼 보여."

이지는 몸에 딱 붙은 교복 상의를 잡아당기며 투덜거렸다. 이지의 날개는 내 것보다 약간 더 크다. 깃털도 더 풍성해서, 보호대를 차면 거의 티가 나지 않는 나와는 달리 동생의 등은 약간 불룩해진다. 날개를 묶을 때마다 나와 동생 중 누구 한 명이 힘을 이어받게 된다면 이지가 되지 않을까 생각하게 된다. 힘을 담기에 내 날개는 너무 작다.

힘. 날개를 가진 두 사람 중 한 명만이 힘을 이어받는다.

*

아주 작은 날갯짓을 너에게 줄게

어릴 적엔 대부분의 사람들이 날개를 가지고 있는 줄 알았다. 내 등에도, 이지의 등에도, 아빠의 등에도 날개가 있었으니깐. 가족 중 날개가 없는 사람은 엄마뿐이다. 나와 이지는 유치원에 다니지도 않았고, 아파트 놀이터에서 논 적도 없었다. 밖에 나갈 때면 차야 하는 보호대가 싫어서 자유롭게 밖에 나가지 못한다는 것에 불만을 가지지 않았다.

가장 큰 날개를 가진 사람은 아빠였다. 아빠의 날개는 다섯 살 아이 둘을 모두 덮을 정도로 컸다. 아빠는 세계 곳곳을 날며 멸종 직전의 동물을 구하는 일을 했고 한 달에 한 번쯤 집에 왔다. 아빠가 집에 오면 나와 이지는 아빠의 날개 아래로 파고들어 푹신한 깃털에 파묻히는 것을 즐겼다.

"아빠. 집에 있으면 안 돼?"

내가 그렇게 물을 때마다 아빠의 대답은 늘 같았다.

"날개 있는 사람은 타인을 위해 살아야 해. 타인을 해쳐서도 안 되지. 그건 힘 있는 자의 의무야. 아빠가 집에 자주 못 오는 만큼 많은 동물들을 구할 수 있어."

아빠의 말은 깃털 틈새에 배어든 온갖 냄새와 함께 내 몸 안에 스며들었다. 맡아 본 적 없는 꽃과 풀의 냄새. 소금기 어린 물 냄새. 아주 높은 산 정상보다도 더 높은 곳을 상상하게 만드는 바람의 냄새. 그 모든 것이 뒤섞여 깃털에서는 하늘 냄새가 났다. 나는 그 냄새를 맡으며 하늘을 나는 상상을 하는 것이 좋았다. 언젠가 내 날개도 아빠의 것만큼 커지면 하늘을 날 수 있게 되리라 여겼다.

엄마는 아빠가 집 안에서 날개를 펼치는 것을 싫어했다. 내가 아빠의 흉내를 낸다고 소파에서 뛰어내리며 날개를 퍼덕이면 그야말로 질색을 했다. 엄마가 화를 내는 이유는 날개가 없다는 사실이 창피해서일 거라고 나는 생각했다. 그래서 간혹 밤에, 엄마가 내 날개를 더듬으며 울 때면 잠든 척을 했다. 커서 힘이 생기면 엄마에게도 날개를 달아 줘야지, 다짐했다. 그때는 몰랐다. 힘을 이어받는 것이 무엇을 뜻하는지, 왜 밖에 나갈 때마다 날개를 숨겨야 하는지, 어째서 유치원에 가지 못하고 집에만 있어야 하는지도.

아빠는 나와 동생이 초등학교에 입학해야 할 때가 되어서야 진실을 말해 주었다. 날개를 가진 사람은 극소수라는 것, 힘은 세대에서 세대로 이어진다는 것, 이러한 힘을 가진 사람들을 관리하는 기관이 있고 우리는 그 기관의 허락 없이는 이사도 마음대로 갈 수 없다는 것 등이었다. 아빠는 그 사실을 뉴스 리포터처럼 무미건조한 말투로, 무척 빠르게 말하고는 밖으로 뛰쳐나갔다. 그러곤 일곱 살이던 내가 열일곱 살이 된 지금까지 한 번도 집에 돌아오지 않고 있다. 아빠는 우리에게 더 빨리 알려 주었어야 했다. 날개를 가진 것은 곧 날개를 숨기고 살아야 함을 의미한다는 것을. 아빠는 상냥한 만큼, 자신이 뿌린 운명의 조각을 지르밟으며 자라야 할 아이들의 원망을 직시하지 못할 정도로 나약

아주 작은 날갯짓을 너에게 줄게

한 사람이었다.

나는 아빠가 뛰쳐나간 현관문을 멍하니 보다가 엄마에게 물었다.

"세대에서 세대로 이어진다는 게 무슨 뜻이야?"

엄마는 내가 보는 곳보다 더 먼, 어디인지 모를 곳을 바라보는 듯 미간을 찌푸렸다.

"아빠가 죽으면 너희에게 힘이 생긴다는 뜻이야."

그때부터 나는 더 이상 하늘을 나는 것을 바라지 않게 되었다. 내게 힘이 생긴다는 것은 어디선가 아빠가 죽었다는 말이 되니깐. 그렇지만 1년여 전부터 나는 하늘을 나는 꿈을 꾼다. 활짝 펼쳐진 날개 안으로 세상의 온갖 냄새가 몰려오는 꿈속의 비행은 아찔할 만큼 기분이 좋다. 그래서 종종 잠에서 깬 후에도 여운을 느끼려고 억지로 눈을 감고 있을 때가 있다.

올해 봄, 입학한 고등학교의 옥상은 잠겨 있지 않다. 나는 쉬는 시간마다 옥상에 올라간다. 7층 높이의 건물은 그다지 높지 않지만, 그럼에도 그나마 하늘과 가까워진 기분이 든다. 나는 옥상에 드러누워 하늘을 올려다보며 팔을 있는 힘껏 위로 뻗는다. 가까워져라, 가까워져 하고 되뇐다. 그러나 아무리 바라도 하늘은 여전히 멀고 그동안에도 내 날개는 꽁꽁 묶인 채 죽어 간다.

*

급식실 한쪽은 점심시간마다 도박장이 된다. 아이들은 작은 휴대폰을 둘러싸고 서서, 액정 안을 기어다니는 달팽이들의 레이싱에 열광한다. 선생님은 조용히 하라고 주의를 줄 뿐 제지하지 않는다. 그냥 게임이니깐, 그게 이유다. 어떤 달팽이가 1등을 하는지 맞히는 내기에 최소 50만 원이 오고 가고 있음을 알아도 그저 게임이라 생각할지 궁금하다. 도박장의 단골손님은 정해져 있고, 그 애들은 '달팽이'로 불린다. 달팽이들은 저마다 빚을 집처럼 짊어지고, 돈을 구하기 위해 이곳저곳에 끈적끈적한 점액질을 남기며 기어 다닌다. 다른 아이들의 돈을 빼앗고, 또 다른 도박판을 열고, 다른 누군가를 팔고, 가끔은 자기 자신도 판다.

"최서혁, 또 여친 바꿨네. 쟤 1학년이지. 신이지."

달팽이를 몰고 다니는 사람은 최서혁이다. 최서혁은 아이들을 판으로 끌어들이고, 그들에게 돈을 빌려줘 달팽이로 만든다. 달팽이들은 최서혁이 뛰라면 뛰고 기라면 긴다. 날개가 없어도 힘을 가진 최서혁. 권위를 가진 자의 침묵과 다수의 두려움과 소수의 추종이 절묘하게 뒤섞인 진흙탕이 곧 그의 힘이다.

"진짤까? 그 소문. 최서혁이 여친들 포주 노릇 한다는 거."

"소문 쫙 났는데도 좋다고 들러붙는 애들도 제정

아주 작은 날갯짓을 너에게 줄게

신은 아니야."

최서혁이 아이들에게 빌려주는 돈이 어디서 난 것인지, 달팽이들에게 어떤 지시를 내리는지에 대해 온갖 소문이 떠돌았다. 소문은 또 다른 소문을 낳아 진흙탕을 더욱 지저분하게 만들었다. 그 바닥에 있는 게 무엇인지 전혀 알 수 없을 정도로.

"신이지 재도 탈탈 털려 봐야 정신 차리지."

나는 국 속에서 긴 머리카락을 봤다. 듣고 싶지 않은 말을 들으며, 들어가선 안 될 것이 들어간 국을 먹는 일은 고역이었다. 나는 머리카락을 국에서 건져 내며 달팽이들 쪽을 봤다. 최서혁 옆에 이지가 있었다. 신이지, 나의 동생. 나는 이지를 부르지 않았다. 학교에서는 가능한 아는 척하지 않는 것이 우리의 규칙이다. 쌍둥이는 어쨌든 눈에 띄고, 나는 가능한 눈에 띄지 않은 채로 지내고 싶었다. 그래서 나는 이지와 달라지기를 택했다. 많은 노력은 필요 없었다. 애당초 나와 이지는 달랐으니깐. 쌍둥이지만, 나와 이지는 모든 면에서 달랐다.

내가 타인의 눈에 띄지 않기를 원했다면, 이지는 타인의 눈을 신경 쓰지 않기를 원했다. 이지는 말했다. "날개를 묶는 것만으로도 답답해. 언제 날개가 있다는 걸 들킬까, 마음 졸이면서 지내고 싶지 않다고. 들키면 좀 어때? 뭐 큰일 나겠어?" 나는 주변에 맞춰 교복을 입고, 머리카락을 묶고, 말하고, 행동했다. 이지는 염색을 하고, 교복을 줄이고, 귓불에 피어싱 네 개를 뚫고, 통통볼처럼 사방을 뛰어다녔다. 설마 통통 뛰다가 달팽이 무리 속에 뛰어들 줄은 몰랐다.

나는 이지의 뒷모습에서 시선을 돌리며 엄지와 검지로 건져 낸 머리카락의 양 끝을 잡고 당겼다. 팽팽하게 당겨진 머리카락이 툭 끊어진 순간, 감전이라도 된 듯 날개에 저릿한 아픔이 퍼졌다. 처음 느껴 본 아픔이었다. 날개의 뿌리 어딘가를 개미 떼가 갉아 먹고 있는 듯 간지러움과 따끔함이 밀물처럼 몰려왔다. 그 아픔은 수업을 받는 중에도 체육 시간에 뜀틀을 뛰어넘을 때도 바늘로 찌르듯 반복되어 밀려왔다. 당장이라도 보호대를 벗고 날갯죽지를 벅벅 긁고 싶었다. 종례가 끝나자마자 교실을 뛰쳐나와 운동장을 가로지르는데 다급한 발소리가 뒤따라왔다. 이지였다. 나와 이지는 한 뼘 거리를 두고 나란히 걸었다.

"나 새 남친 생겼어. 일주일쯤 됐어."
"알아. 달팽이가 되지 않게 조심해."
"달팽이?"
"그 게임 하지 말라고. 도박이야, 그거."
"이미 했어. 언니. 나 있잖아."

이지가 나를 언니라고 부를 때는 아르바이트 하는 걸 비밀로 해 달라거나 피어싱을 하나 더 뚫은 걸 엄마에게 들키지 않게 해 달라는 등 대체로 무언가 부탁할 게 있을 때이다.

"빚이 좀 생겼거든. 게임 할 돈이 필요해서 조금씩 빌리다 보니깐."

아주 작은 날갯짓을 너에게 줄게

"얼마?"

"300만 원."

나는 발아래 돌이라도 걸린 듯 멈춰 섰다. 이지는 내 반응에는 아랑곳없이 혼자 앞으로 걸어 나갔다. "미쳤어?"라는 내 힐난도 들리지 않는 듯 굴었다.

"괜찮아. 금방 갚아. 서혁이가 아르바이트 소개해 준다고 했어. 쇼핑몰 모델이래, 한두 달만 하면 다 갚을 수 있다더라. 오늘 테스트 촬영 해야 돼서 늦을 거야. 밤 10시쯤 들어가려나? 엄마한테, 나 학교에서 공부하고 온다고 적당히 말해 줘. 엄마는 내 말은 안 믿잖아."

이지의 뒤를 쫓아가야 했다. 억지로라도 이지를 데리고 돌아가야 한다고 생각했지만, 나는 자리에 주저앉고 말았다. 날개가 너무 아팠다. 몸과 연결된 윗날개뼈가 몸을 관통해 뿌리내리는 게 아닐까 싶은 통증이었다. 나는 쪼그리고 앉은 채 고개만 들어 교문 밖으로 멀어지는 이지의 뒷모습을 봤다. 최서혁이 이지의 등에 팔을 두르는 것을 보며, 나는 무릎 사이로 얼굴을 파묻었다.

'아프다. 아프다고. 젠장, 아파.'

아프다는 생각만이 머릿속을 헤집었다. 간신히 숨을 돌리고 고개를 들었을 땐 주변에 아무도 없었다. 발끝을 질질 끌며 교문을 빠져나와 집으로 갔다. 엄마, 라고 부르며 문을 열었지만 아무도 없었다. 진통제를 찾아 씹어 삼키고 침대에 누워 눈을 감았다. 약 기운 때문인지 곧 잠이 몰려왔다.

나는 허공에 드러누워 있었다. 아래로 드넓은 초원과 깎아 낸 듯한 절벽, 부연 먼지가 일어나는 사막의 위를 날고 있는 아빠가 보였다. 아빠는 깃털 끝이 너덜너덜하게 닳아서 땅에 닿을 듯 낮게 날고 있었다. 아아, 저런 날개라면 가지고 싶지 않아. 그렇게 생각한 순간 아빠의 날개에서 후두둑 깃털이 떨어졌다. 사방에 흩날리는 깃털들 사이로, 나는 봤다. 날개를 가진 자들의 허무한 최후를. 아빠가 내게 했던 말은 거짓이었다. 아빠는 무엇도 구하고 있지 않았다. 도망가고 있을 뿐이었다. 눈앞을 바로 스쳐 지나가는 깃털을 향해 손을 뻗은 순간 알았다. 이건 꿈이다.

　잠에서 깨어나니 베개는 축축하게 젖어 있었고, 밖에서는 요란한 전화벨 소리가 울렸다. 전화벨 소리는 싫다. 그날, 아빠의 거짓말을 알게 되었던 날에도 전화벨 소리가 요란하게 울렸다. 그 전화가 오지 않았다면 나는 계속해서 꿈을 꾸는 아이로 지낼 수 있었을 텐데. 귀를 틀어막았지만 전화벨은 계속 울렸다. 정말 지독하리만치 끈질기게 울려서, 계속 무시할 수가 없었다. 결국 일어나 거실로 나갔다. 얼마나 잔 건지 그사이 베란다 창밖은 완전히 밤이 되어 있었다.

　"여보세요?"

　수화기 너머에서 흘러나오는 언어는 처음 듣는 것이었지만, 나는 왜인지 그 말을 알아들을 수 있었다. 현관문이 열렸고 엄마가 들어왔다. 나는 수화기

아주 작은 날갯짓을 너에게 줄게

를 붙잡은 채 엄마를 봤다. 엄마가 신발을 벗어 던지고 뛰어 들어와 나를 끌어안았다. 나는 엄마의 어깨에 머리를 묻고 있다가 한참 후에야 말했다.

"엄마. 아빠가 죽었대."

엄마는 나를 다시 배 안으로 밀어 넣을 기세로 내 등을 부여잡고 속삭였다.

"주변을 봐, 이나야."

나는 고개를 들었다. 거실 안의 모든 물건이 공중에 떠 있었다. 텔레비전도, 소파도, 꽃병과 액자도 모두. 나를 끌어안은 엄마의 몸도 10cm쯤 떠올라 있었다. 그제야 내가 날갯짓을 하고 있음을 알았다. 날갯짓을 멈췄다. 와장창. 요란한 소리와 함께 꽃병이 바닥에 떨어져 깨졌다. 떨어지는 것들 사이로 이지의 모습이 보였다. 눈물 자국으로 엉망이 된 얼굴을 하고 우두커니 선 이지는 떨어지는 물건들처럼 어딘가를 향해 추락하고 있는 듯 보였다. 이지가 깨져 사라질까 봐, 나는 엄마에게 매달렸던 한쪽 팔을 풀어 이지에게 내밀었다. 이지는 팔다리를 축 늘어뜨린 채 걸어와 내 팔을 붙잡았다.

"엄마. 이나야. 나 어떻게 해? 들켰어, 날개."

*

동영상 속 여자의 등에는 날개가 있다. 날개를 붙잡으려는 손을 피해 여자가 몸부림을 치자, 날개가 위아래로 퍼덕였다. '날개 달린 소녀'라는 제목의 동영상은 금세 10만 뷰를 기록했다. '소녀의 정체를 알고 싶다면 클릭!'이라는 문구에 낚여, 사람들은 영상 뒤 광고를 눌렀다. 사기꾼들. 영상은 진짜임? 노노, 합성. 진짜 같은데. 여자 얼굴 언뜻 보이지 않음? 얘 S고등학교 1학년이라는데. 고딩이 옷 다 벗고 나체쇼 찍은 거? 누구 S고 다니는 사람 없어? 진짜 날개 있음? 댓글 수백 개가 달렸고, 나는 초상권 침해 및 불법 행위를 저질렀음을 이유로 들어 동영상을 신고했다. 하지만 동영상은 바로 삭제되지 않았다. 초상권 침해를 증명하라는 메일이 날아왔다.

"… 요즘은 원룸을 스튜디오로 쓴다고 그래서 믿었어. 최서혁이, 자기가 애들한테 돈 빌려주는 건 순전히 호의라고. 자기도 아는 형들한테 빌리는 거라 빨리 안 갚으면 두들겨 맞는다고 그랬어. 한 명이라도 빨리 갚으면 덜 맞으니깐, 제발 살려 달라고. 그래서 믿었어. 도와 달라고 하니깐. 방에 들어갔더니 스트립쇼를 찍자는 거야. 무조건 벗으라고. 싫다고 했더니 때렸어. 몸부림쳤는데 힘이 부족했어. 아프다거나 무섭다는 것보다 날개를 들키면 어떻게 하지, 그 생각밖에 안 들었어. 큰일이구나, 이거. 들키면 큰일이 되겠구나 하고…. 그제야 불안이 몰려왔어. 실감이 났어. 이나, 네가 조심하라고 할 때마다 그렇게 비웃었는데. 내가 바보였어. 이나야. 나 진짜 노력했어. 하지만 나, 힘이 없었어. 나를 지킬 힘이."

이지는 그날 이후 잠을 자지 못했다. 집 밖으로 나가는 것도 무섭다고 했다. 나는 무엇보다 이지가

아주 작은 날갯짓을 너에게 줄게

울지 않는 것이 무서웠다. 종이에 손만 베여도 아프다고 엉엉 울던 이지는, 전혀 울지 않는 사람이 되었다. 눈가는 늘 새빨간데 눈물을 흘리지 않았다. 어딘가 고장 난 것처럼.

엄마는 학교에 전화를 걸어 이지가 독감에 걸려 쉬어야 한다고 전했다. 이지의 담임은 "이지가 한 일이 학교 명예에 피해가 갈 만한 일로 번지면, 그에 맞는 조치가 내려질 수 있습니다."라고 말했다. 학교에는 이미 소문이 퍼져 있었다. 이지가 내 손을 잡고 울던 밤이 지나가기도 전에 전교생이 그 영상을 본 듯했다. "학생 걱정도 안 하는 학교에 명예란 게 있나요?" 엄마는 그렇게 답하곤 전화를 끊었다.

나는 하루 만에 동물원 원숭이가 됐다. 쉬는 시간마다 애들이 교실로 몰려와, 노골적으로 수군거렸다. "쟤야, 쟤. 쌍둥이." 그전까지는 나와 이지가 전혀 닮지 않았다고 하던 애들이 필사적으로 나와 이지의 닮은 점을 찾아냈다. 몇몇은 내 책상 주변을 에워쌌고, 그중에는 최서혁의 달팽이들도 있었다.

"신이나. 진짜야? 이지 등에 날개가 있어?"
"최서혁이랑 짠 거 아냐? 관종이잖아, 신이지도."
"최서혁은 학교 왜 안 나와? 영상 찍은 사람이 걔라는 게 뻔한데."
"신이나. 너도 있는 거 아냐? 날개."

말에 두들겨 맞는 내내 등이 아팠다. 조금이라도 날개를 움직이면 주변의 무엇이든 떠오르게 할까 봐, 더욱 강하게 날개를 묶어 놓은 터였다. 차라리

아픈 편이 나았다. 익숙지 않은 아픔에 함몰될 것 같은 동안에는 그 말들을 무시할 수 있었으니깐. 그러나 아픔에는 익숙해지게 되어 있다. 소문이 돈 지 나흘째, 나는 책상에 앉아 소리를 질렀다.

"그만들 해!"

일순 주변이 조용해졌다. 나는 주변의 달팽이들을 노려봤다.

"너희들. 이지 친구 아니었어?"

달팽이들은 내 말에 눈가를 떨었다. 잠깐 동안 사람으로 돌아온 듯 보이던 그들은, 교실 뒤쪽으로 시선을 옮긴 순간 다시 달팽이가 되었다. 나도 그들의 시선을 따라 뒤돌아봤다. 최서혁이 서 있었다. 그는 무척이나 평온한 얼굴로 달팽이들에게 손을 흔들었다. 달팽이들이 서로 눈빛을 교환했다.

"이지도 동의해서 찍은 거 아냐. 거기까지 따라간 게 동의지. 별게 동원가."
"등에 날개 있으면 특별하고 좋잖아. 부러워서 물어본 건데 뭘 그렇게 예민하게 굴어?"
"맞아. 나쁜 뜻으로 물어본 것도 아닌데."

답답했다. 묶인 날갯죽지의 끝이 견딜 수 없이 가렵고 아팠다. 나는 책상을 둘러싼 애들을 밀치고 나왔다. 교실 뒷문 앞에 선 최서혁은 나와 눈이 마주치자 히죽 웃었다. 나는 최서혁을 꽃병처럼 높이 들어 올렸다가 바닥으로 떨어뜨리고 싶었다. 그렇게 할 수 있었다.

아주 작은 날갯짓을 너에게 줄게

꽉 묶인 날개. 내 날개에는 힘이 있다.

아빠를 벗어난 힘은 내게로 왔다. 전화를 건 사람은 아빠가 어디서 어떻게 왜 죽었는지 알려 주지 않았다. 그저 죽었다는 말만 전했다. 그럼에도 나는 그 말을 믿을 수밖에 없었다. 내 깃털 사이로 흐르는 힘이야말로 그 죽음의 증거였다.

하지만 나는 힘을 쓸 수 없다. 써서는 안 된다. 특히 사람을 해치는 일이라면 더더욱. 나는 옥상에 누웠다. 날개에 힘이 생겼지만, 나는 날 수 없다. 내 힘은 아빠의 것과 다르다. 힘을 딱 한 번 써 봤을 뿐이지만 그 정도는 알 수 있다. 그때 내 몸은 조금도 떠오르지 않았다. 그때에 나는 단 한 가지 생각에 절망했다. 그 이기적인 절망이 너무나 미안해서 이지를 똑바로 볼 수가 없었다.

'날개가 있는 사람은 남을 위해 살아야 해. 해치면 안 돼. 그것이 힘 있는 자의 의무니깐. 힘 있는 자의…. 아빠는 거짓말을 했어요. 이젠 나는 뭘 해야 할지 모르겠어요.'

이지는 유령이 되어 버릴 것 같아요. 경찰도 학교도 아무것도 해 주지 않아요. 모두 그 정도는 별일 아니라고, 이지도 잘못한 거라고 해요. 힘을 가진 쪽은 그들이에요. 우리가 아니라.

나는 더 이상 하늘을 향해 팔을 뻗지 않는다.

수업이 끝날 때까지 옥상에 누워 있다가, 운동장에 사람이 없어질 때가 되어서야 내려왔다. 집에 오니 이지는 여전히 침대에 누워 있었다. 나는 침대에 걸터앉아 물었다.

"자?"

이지는 대답 없이 몸을 돌려 내 쪽을 보고 누웠다. 이지가 내 등을 가리켰다.

"이나야. 보호대 풀어 줄까? 요즘 밤에도 묶고 있잖아. 답답하지?"

"엄마가 못 풀게 해. 내가 아파트를 공중에 띄울까 봐 무서워서 그러나."

"지금은 엄마 없으니깐 괜찮아."

이지가 내 보호대를 벗기고 끈을 풀었다. 엄마가 꼭꼭 붙여 놓은 테이프도 떼어 냈다.

"베개만 공중에 띄우게 컨트롤 가능해?"

"안 돼. 방법을 모르겠어."

"나는 알 것 같아."

이지가 내 손등 위에 자신의 손을 포갰다.

"띄우려는 걸, 이 세상에서 사라지게 만들고 싶은 상대라고 생각하는 거야. 이나야. 그거 알아? 진짜 화가 나면, 상대가 너무 미우면, 주변의 색이 없어져. 그 상대만 얼룩덜룩한, 이 세상에 없을 것 같은 엄청 흉측한 색으로 보여."

이지는 말하기를 멈췄다가, 혼잣말처럼 중얼거렸다.

"… 이 힘이 그때, 나한테 왔으면 얼마나 좋았을까."

아주 작은 날갯짓을 너에게 줄게

이지는 내 손등을 아프도록 움켜잡았다.

"언니. 이거 나한테 나눠 줘."

나는 그 아픔에 이끌리듯 날개를 움직였다.

"봐. 저 베개가 그런 상대라고 상상하면 돼."

이지의 목소리가 내 주변의 색을 지워 나갔다. 이지의 세계에서 색을 없애 버린 사람은 누구일까. 나는 그 상대가 미웠다. 나와 이지는 쌍둥이지만 닮지 않았다. 텔레파시가 통하지도 않았고 서로를 애틋하게 여기지도 않았다. 나와 이지는 날개를 감추어야 한다는 비밀을 공유한 동료였지만, 그 이전에 그저 보통의 자매였다. 가끔 서로가 없어지면 좋겠다 싶도록 미워했고, 많은 순간 샘을 냈고, 보통은 신경 쓰지 않고 지냈다. 그리고 그 모든 날들을 합친 만큼, 사랑했다.

그래서 미웠다. 너무나도 미웠다. 내 절망을 이기적으로 만들어 버린 이 상황이. 이지를 몰아가는 모든 것들이. 내가 날 수 없다는 것을 안 순간, 나는 도망갈 수 없음에 절망했다. 날개를 묶고 지내야 하는 이 집에서 날아올라 아무리 날개를 퍼덕여도 상관없을 곳으로 가고 싶었다. 내가 동경했던 아빠의 강함이 거짓임을 의심하게 된 후로 내 소원은 오직 자유로워지는 것뿐이었다. 하늘을 날아 집을 떠나는 상상을 할 때마다 이지는 내 옆에 없었다. 나는 이지를 사랑하는 만큼 이지와의 이별을 믿어 의심치 않았다. 누가 힘을 물려받게 되는 그 순간 우리는 더 이상 예전의 우리일 수 없을 터였다.

힘은 내게로 왔다. 하지만 나는 날 수 없다. 다른 모든 것을 날게 할 수 있어도 정작 나는 날 수 없다. 그 사실은 내게 절망이었다. 그러나 눈앞에 있는, 시뻘겋게 충혈된 눈으로 잠들지 못하는 이지는 내 절망조차 온전히 내 것일 수 없게 만든다.

베개가 떠올랐다. 주변의 모든 것은 제자리에 놓인 채였다. 나는 공중에 뜬 베개를 보다, 고개를 돌려 이지를 봤다. 이지는 웃었다. 나흘 만에 처음으로. 나도 웃었다. 나와 이지는 마주 보고 웃었다. 베개는 여전히 공중에 뜬 채였고, 나는 현기증을 느꼈다. 나는 날갯짓의 속도를 천천히 줄여 나갔다. 베개는 꽃병처럼 바닥에 곤두박질치지 않았다. 살포시, 이지의 품 안에 내려앉았다. 이지는 베개를 꽉 껴안고는 그곳에 얼굴을 파묻었다.

나는 궁금해진다. 이지도 나를 혼자 두고 떠나는 상상을 한 적이 있을까. 이지의 절망은 얼마만큼 이지만의 것일까. 그러나 나는 아무것도 묻지 않고, 단지 이지에게 속삭였다.

"이지야. 약속할게. 언젠가 너에게 내 날갯짓을 줄게."

방을 나온 뒤에 보니, 내 손등에는 깊은 손톱자국이 파여 있었다.

*

동영상이 삭제되었다. 업로드된 후 일주일이 지

아주 작은 날갯짓을 너에게 줄게

나고 열다섯 통의 메일이 오고 간 뒤에야 이루어진 조치였다. 그 사이 영상은 복제되어 인터넷 곳곳을 떠돌았다. 최초 업로더에게 광고 수익을 지급하지 말라는 요청은 받아들여지지 않았다. 최서혁에 대한 처벌도 지지부진했다. 최서혁은 그 영상을 찍은 사람은 자기가 맞지만 합의에 의한 촬영이었고, 클라우드에 자동 업로드된 파일을 누군가 빼 갔으며, 동영상 사이트에 올린 사람도 자신이 아니라고 주장했다. 조사 결과 동영상이 업로드된 사이트 계정과 연결된 계좌가 최서혁의 것이 아니었기에 그 주장은 모두 받아들여졌다. 합의가 아니었다는 이지의 말은 계속해서 무시되었다. 이지가 최서혁과 사귀었다는 이유 하나로.

이지는 본인이 찍힌 동영상이 어디에 떠돌지는 않는지 계속 검색을 했다. 링크에 링크가 이어진 거대한 망에 걸린 이지는 밤새 검색을 하느라 잠들지 못했고 아침까지 유령처럼 앉아 있었다. 엄마는 결국 이지의 휴대폰을 빼앗았다. 나도 그 끝없는 망의 끝에 걸려 있음을 엄마는 몰랐다.

"너지? 신이나."

체육복을 갈아입으려고 화장실로 가던 나를 막아선 건 최서혁의 달팽이들이었다. 나는 단번에 구석으로 떠밀렸다. 대여섯 명의 사람들은 내 앞을 벽처럼 가로막고 섰다. 벗겨, 라는 말에 두 명이 내 양팔을 붙잡았다. 피부에 닿는 끈적끈적함에 오소소, 소름이 돋았다. 나를 둘러싼 달팽이들은 모두가 최서혁의 얼굴을 하고, 뻔뻔하게 웃었다. 나는 몸부림 쳤다. 물고 소리치다 창문을 깼다. 깨진 유리 조각을 집어 들어 휘둘렀고 무언가를 뱄다. 피를 본 달팽이는 비명을 질렀다. 사람들이 모여들었다. 장난 이었어요. 별것도 아닌데. 나쁜 뜻으로 한 일이 아니에요. 달팽이들은 사람인 듯 말했고, 모여든 사람들은 달팽이들을 감싸 안았다. 무슨 짓이야, 신이나. 그때 나는 알았다. 이곳에 모인 사람들 모두 달팽이라는 것을. 모른 척하고 있는 자들도 결국 이지를 잠들지 못하게 만드는 공범이라는 것을.

나는 유리 조각을 꽉 움켜쥔 채 뒤돌아서 걸었다. 학교를 빠져나와 운동장 한가운데 멈춰 서 뒤돌아봤다. 온통 무채색인 풍경 가운데 학교만이 뚜렷한 색으로 일렁이고 있었다. 불쾌함을 색으로 만든다면 저럴까 싶은 색. 구역질이 치밀어 오르는 것을 간신히 억누르며 교문을 빠져나왔다. 집 바로 앞에 와서야 손바닥 한가운데가 깊이 베인 것을, 그곳에서 흐른 피가 손가락 사이를 타고 흐르고 있음을 알았다. 손가락에 묻은 피를 교복 치마에 닦아 내곤 현관문을 열었다.

한 발을 디뎌 집 안으로 들어간 순간, 평소와 다른 공기가 훅 밀려 나왔다. 굳건한 성 안처럼 안도감을 느끼게 하는, 답답해도 따뜻한 공기가 아니었다. 난방이 꺼진 한겨울의 빈방에서 새어 나오는 낯선 공기였다. 그 공기의 가장 아래쪽에는 흐느낌이 깔려 있었다. 빠끔히 열린 이지의 방문 틈새에서 흘러나오는 흐느낌은 짓눌려 있었다. 나는 문 틈새로

아주 작은 날갯짓을 너에게 줄게

살며시 손가락을 밀어 넣고 안을 들여다보았다. 아이들을 버리자는 모의를 하던 부모를 훔쳐보던 헨젤처럼. 내가 본 것은 비밀스런 소곤거림과 일렁이는 촛불이 아니었다. 엄마였다.

엄마는 한 손에 커다란 스트리퍼를 들고 이지의 등에 올라타 어깨를 누르고 있었다. 이지는 양팔과 다리를 버둥거리며 신음하고 있었다. 미처 밖으로 터져 나오지 못한 비명이 흐느낌이 되어 틈새로 굴러 나왔다. 엄마가 이지의 한쪽 날개를 비틀어 잡는 것을 보고서야, 나는 엄마가 뭘 하려는지 깨달았다. 엄마는 이지의 날개를 뽑으려 하고 있었다.

"안 돼! 엄마. 뭐 하는 거야!"

뛰어 들어가 이지의 몸 위에 앉은 엄마를 밀쳐 냈다. 엄마는 비틀거리더니 침대 위에 한 손을 짚으며 넘어졌다. 이지가 허둥지둥 일어나 내 허리를 끌어안았다. 이지는 숨만 몰아쉴 뿐 말을 하지 못했다. 입술만 뻐끔거리던 이지는 한참 후에야 쥐어짠 듯한 목소리로 말했다.

"이나야. 어, 엄마가. 나를."

나는 이지의 등을 끌어안고 쓸어내렸다. 이지의 온몸이 떨렸다. 날개 끝까지 떨림이 전해져 와, 미세한 진동을 일으켰다. 내가 패닉에 빠진 이지를 진정시키는 사이, 엄마는 침대 위에 떨어졌던 스트리퍼를 집어 들고 방 밖으로 나갔다. 이지가 온몸에 오한이 든다고 해서 진통제를 먹였다. 나는 탈진한 듯 침대 위에 축 늘어진 이지에게 이불을 덮어 주고 방 밖으로 나왔다. 엄마는 거실 소파에 조각상처럼 앉아 있었다.

"왜 그랬어, 엄마?"

나는 물었다. 물어야만 했다. 엄마는 나를 봤다. 아빠가 집을 떠난 예전의 그날, 아주 먼 곳을 보는 듯했던 그 눈빛이었다. 엄마는 소파에서 일어나 천천히 입고 있던 셔츠를 벗었다. 속옷까지 벗은 엄마는 내게 등을 돌리고 섰다. 엄마의 등을 정면으로 보는 것은 아주 어릴 적 이후 처음이었다. 어릴 적에도 이렇게 날것의, 옷 아래 피부를 본 적은 없었다. 거기엔 둥근 상처 자국이 있었다. 날개 뼈 위쪽에 난 손가락 한 마디쯤 되는 상처는 어제 생긴 것인 듯 생생하게 붉었다.

"내 힘은 슬픔을 느끼게 하는 거였어. 내가 날 때 날개에서 떨어진 가루를 들이마신 사람은 치사량의 슬픔을 느꼈지. 나는 그 사람이 어떻게 되든 상관없었어. 날고 있으면 한없이 행복했거든. 하지만 네 할머니, 그러니깐 내 엄마는 말이야. 그 힘이 결국 나조차 슬프게 만들 거라고 믿었어. 아홉 살 되던 해에 내 날개를 도려냈지."

나는 조심스럽게 엄마의 등으로 손을 뻗어 붉은 상처 주변 피부를 쓰다듬었다.

"날개를 가진 여자들은 많은 경우 예측할 수 없는 힘을 가지고 태어나. 남자들의 힘이 비행 능력으로 한정된 것과는 다르지. 이나야. 날개를 가진 사람들이 점점 줄어든 이유는 그 때문이야. 컨트

롤이 안 되는 힘을 가진 여자들의 날개를 어릴 적에 뽑아 버린 거야. 날개가 뽑힌 여자는 힘을 잃어버려. 날개를 가진 아이를 낳을 수도 없지. 컨트롤 가능한 정도의 힘을 가진 여자들만이 날개를 뽑히지 않았어. 참 이상하지. 긴 세월 동안 그런 일이 반복되면, 여자들도 비행 능력만 가지고 태어날 법한데 말이야. 오히려 여자들의 능력은 더욱 예측 불가능해지고 강해졌지. 더 많은 여자들의 날개가 뽑혔고…. 나는 너희를 낳았어. 날개를 뽑힌 내가, 날개 가진 아이들을."

엄마의 붉은 원 아래에 아물지 않고 있는 것은 단 한 번의 고통이 아니었다. 제거되었음에도 악착같이 재생해 온 역사가, 그곳에 있었다.

"날개를 뽑았어야 했을까. 너희가 어릴 적에."

나는 엄마의 등을 어루만지던 손을 멈췄다.

"우리가 원하지 않으면 아무리 엄마라도 절대 안 돼. 그딴 짓을 하는 건."

"아프지는 않아. 나한테 유독 자국이 크게 남은 거지 상처도 이렇게까지 안 남아."

"그래도 안 돼. 그건 엄마라도 용서 못 해."

"너도 이지도 힘들어질 거야."

나는 엄마의 등에서 손을 뗐다. 엄마가 뒤돌아서 나를 정면으로 마주 봤다. 엄마는 나를 끌어안는 것처럼, 내 등 뒤로 팔을 둘러 보호대 위에 손을 얹었다. 보호대 아래 납작하게 눌린 날개가 꿈틀거렸다.

"그래서 엄마는 지금 안 힘들어?"

"……."

"엄마의 엄마도, 그러면 안 됐던 거잖아."

나는 엄마를 밀어내고 품 안에서 빠져나왔다. 닿아 있던 어깨가 엄마에게서 떨어지고, 살갗의 온기가 완전히 멀어지는 순간 눈가가 시렸다. 눈을 문지르며 이지의 방으로 들어갔다. 이지는 이불을 머리 끝까지 뒤집어쓰고 누워 있었다. 내가 침대에 걸터앉자, 봉긋 솟아오른 이불이 크게 들썩였다. 혼잣말 같은 이지의 속삭임이 이불 밖으로 새어 나왔다.

"…… 다 사라졌으면 좋겠어. 너와 나만 빼고, 모두 다."

그날 저녁 내내, 나는 방 거울 앞에 서서 내 날개를 봤다. 묶이지도 눌리지도 않은, 등 밖으로 끝이 조금 삐져나올 정도의 작은 날개를. 큰 날개를 가지고 싶었던 적이 있다. 이지의 것보다 훨씬 큰 날개. 이지의 날개는 언제나 내 것보다 조금 더 컸고, 그 점은 언제나 나를 불안하게 만들었다. 세대에서 세대로, 아빠에게서 나 혹은 이지에게로 이어질 힘. 아빠의 죽음을 바라지는 않았으나 언젠가부터 그렇게 될 것을 알았다. 엄마는 아빠를 기다리지 않았으니깐. 나는 날고 싶었다. 아빠의 힘을 이어받아 누군가를, 무언가를 구하고 싶었다. 그렇지만 내 날개는 늘 이지의 것보다 작았다.

"타인을 위해 힘을 쓰고, 타인을 해치지 말고."

아빠가 했던 말을 되뇌어 보았다. 온갖 냄새와 함께 내 몸 안에 스며들었던 말이었다. 지극히 당연하

아주 작은 날갯짓을 너에게 줄게

고 아름다운 말. 그러나 아빠의 날개 속에 파묻혀 있는 것만으로 행복했던 어린 시절은 한순간에 끝났다. 어느 날 전화벨이 울렸다. 아주 끈질기게 울리던 소리는, 내가 방문을 연 순간 멈췄다. 엄마의 목소리가 방문 틈으로 새어 들어왔다. "그 사람이 어디 있는지 정말 몰라요. 멋대로 도망간걸요. 애초에 아무것도 안 하는 사람이 도망간 것에 큰 의미가 있나요?"라고 말하는 목소리는 한숨으로 가득 차 있었다. 나는 살며시 방문을 닫고 방문 앞에 쪼그려 앉았다. 그때까지 한 번도 품어 본 적 없던 의문이 몰려왔다. 힘을 가진 사람들을 관리하는 기관. 그 기관에서 시키는 일 말고는 무엇도 할 수 없는 날개 가진 사람들. 그런 사람이 강하다고 할 수 있는 것일까. 아빠의 힘을 물려받으면, 나도 계속 감시당하게 되는 걸까. 날개가 있는데 왜 원하는 곳으로 날아갈 수 없는 것일까.

그날부터 나는 상반된 바람을 동시에 품게 되었다. 여전히 이지보다 큰 날개를 가지고 싶다가도, 어떤 날은 내 날개가 이지의 것보다 절대 커지지 않기를 바랐다. 아빠의 힘이 내게로 오기를 바란 이유는 날아가고 싶어서였다. 이 좁은 집에서, 정체 모를 기관의 감시에서 벗어나고 싶었다. 그러나 힘을 이어받는다고 해도 내가 도망갈 수 있을까, 그런 의문이 치솟아 오를 때면 있는 힘껏 날개를 등 한가운데로 모아 작게 움츠렸다.

"왜? 왜 도망가야 하지?"

나는 거울 속의 내게 물었다. 처음 입 밖으로 나온 의문에 답을 주는 사람은 없었다. 그래도 나는 계속해서, 새벽이 지나고 해가 주황의 빛무리를 밀어 올릴 때까지 물었다.

"그럼 어떻게 할까."

방향을 바꾼 질문은 답이나 다름없었다. 나는 거울에서 눈을 떼고 빛무리가 창밖 하늘로 번져 나가는 것을 지켜봤다. 세상의 색은 점점 연해지다가 떠오른 해 속으로 삼켜지듯 사라졌다. 오전 10시가 되었을 무렵에는 색은 어디에도 남아 있지 않았다.

완벽한 무채색의 세계만이 내 눈앞에 남았다.

나는 이지의 방으로 가, 이지를 흔들어 깨웠다.

"나가자."

잠이 덜 깬 이지는 침대 아래를 더듬어 보호대를 집었다. 나는 이지의 손에서 보호대를 빼앗아 쓰레기통에 버렸다. 나는 집에서 입는 등이 파인 잠옷에, 카디건 하나만 걸친 채였다.

"그 차림으로 나간다고? 신이나, 미쳤어? 싫어. 안 나갈래."

나는 침대에서 나오지 않으려 버티는 이지를 억지로 끌어 내렸다. 줄다리기의 승자는 나였다. 결국 이지도 카디건 하나만을 걸치고 나와 함께 집을 나섰다. 오전 10시가 조금 넘은 시간, 아파트 단지에서 학교로 이어지는 길은 한산했다. 가끔 잠옷 차림의 나와 이지를 힐끔거리는 사람이 있었지만 그 이

아주 작은 날갯짓을 너에게 줄게

상의 일은 일어나지 않았다. 학교에 도착하니 운동
장에는 아무도 없었다. 저 흉측한 색의 건물 안에
모두가 모여 앉아 모의고사를 보고 있을 터였다.

나는 운동장 한가운데 서서 걸치고 있던 카디건
을 벗었다. 이지의 한쪽 손을 붙잡고 학교를 노려보
며 천천히 날개를 움직였다. 조금씩, 점점 더 빠르
게 날갯짓을 계속하자 학교가 공중에 떠오르기 시
작했다. 땅에서 뽑힌 파이프와 철골이 드러난 건물
의 아랫부분이 공중에서 넝마처럼 펄럭였다. 떨어
져 나온 콘크리트 조각이 학교가 사라진 빈터에 떨
어져 바스러졌다. 학교는 공중에 표류한 거대한 난
파선이 되었다. 학교 건물이 공중 60m쯤까지 떠올
랐을 때, 내 코에서 코피가 흘렀다.

그래도 나는 날갯짓을 멈추지 않았다.

"다 사라지게 해 줄게. 너와 나만 남을 때까지."

도망칠 수 없는 곳은 파괴해 버리면 된다. 이지를
두고 떠날 수 없다면, 이지와 나 단둘만이 이 세계
에 남는다 해도 내겐 큰 차이가 없다. 나의 절망조
차 이기적인 것이라면, 세상의 모든 절망을 집어삼
킬 절망을 만들어 버리리라. 내 손 안에서 축 늘어
져 있던 이지의 손가락이 꽉, 내 손등을 감싸 쥐었
다. 떠오른 학교를 보고 있던 이지가 내 쪽을 봤다.
이지는 울고 있었다.

"언니. 내가 멈추라고 하면 멈춰 줄 거야?"

내가 날갯짓을 멈추면 학교는 떨어져 깨질 것이
다. 공중에 떠올랐던 꽃병처럼. 학교 안에 있는 수

많은 달팽이들은 꽃병 안 물처럼 주워 담을 수 없게 될지도 모른다. 혹은 베개처럼 무사히 땅에 내려앉을 수도 있을 것이다. 어느 쪽이든 내겐 결론이 아닌 시작이 될 터이다.

"그래."

나와 이지는 서로를 마주 보고 섰다. 이지는 울고, 나는 웃는다. 이지의 등 쪽이 불룩 솟아오르더니 카디건이 바닥에 떨어졌다. 이지의 등에서 날개가 솟구쳐 오르며 펴졌다. 깃털이 바람을 안고 가냘프게 흔들렸다. 이지의 깃털에서는 눈물 냄새가 났다. 이젠 우리는 서로의 날개를 묶지 않을 것이다.

어떻게 될지 내가 알 게 뭐람. 나는 그저 날개를 퍼덕였을 뿐이다.

'악의는 없어. 너희가 그랬잖아. 나쁜 의도는 없는데 뭐 어떠냐고.'

입안으로 짭조름한 코피가 흘러 들어왔다.

아주 작은 날갯짓을 너에게 줄게

아홉수

가위

아홉수다. 아홉수인 해에는 재수가 없다는 말을 한 번도 믿은 적 없지만, 그런 셈 치고 싶다. 그렇지 않으면 스물아홉 살 생일에, 술도 마시지 않은 맨정신으로 죽고 싶다는 생각만 하며 앉아 있을 리가 없다. 뭐가 문제일까. 나는 침대 위에 책상다리를 하고 앉아 벽에 설치된 행거를 바라봤다. 빨래 건조대 겸 옷걸이로 쓰는 흰색의 길쭉한 봉에는 포스터가 걸려 있었다.

구름이 가득한 파란 하늘이 그려진 포스터. 벽 한쪽을 다 뒤덮을 정도로 커다란 포스터는 사무실 문에 붙어 있던 것이었다. 직원 한 명에 팀장만 세 명인, 복지는 없고 야근은 많은 여행사에서 3년을 일했다. 아르바이트에 시달리며 휴학과 복학을 반복한 끝에 간신히 대학을 졸업하고 응시와 면접과 탈락을 거듭하는 취업 전쟁을 겪는 동안, 나는 난파 직전의 조각배에 탄 사람처럼 미친 듯 노를 저었다. 그렇게 해서 도달한 섬이 가라앉기 직전의, 말라비틀어진 열매만 열리는 곳이라도 다른 곳을 찾아 떠

아홉수 가위

날 용기가 날 리 없었다. 월급이 열흘 정도 밀리는 상황도 익숙해지니 견딜 만할 불안이 되었다. 어쨌든 나는 웬만한 일은 잘 견디는 편이었다. 엄마가 써 준 동의서 한 장을 들고 고시원 입실 계약을 하러 갔을 때의 떨림도 견뎠고, 아르바이트 하는 곳에서 성희롱을 당했을 때의 감정도 견뎠다. 열여덟 살 여자애가 혼자 산다는 건 견뎌야 할 일이 아주 많아진다는 뜻이었다. 그래서 나는 누구도 회사가 망했다는 걸 내게 알려 주지 않았기에 엉망이 되어 있는 사무실을 보았을 때도 주저앉지 않고 견뎠다. 팀장 중 가장 나이가 많았던 박 팀장만이 내 전화를 받았고 그는 내게 이렇게 말했다. "네가 쪼다라서 당한 걸 어쩌라고. 누가 구린 회사 들어오래?" 나는 사무실에서 포스터를 떼어 들고 나왔다. 그 포스터는 거기에 있기엔 너무 예뻤다.

빠듯한 실업 급여를 쪼개어 살던 중에, 남자친구가 사채를 썼다며 돈을 빌려 달라고 했다. 당장 2000만 원을 못 갚으면 우락부락한 형님들이 자기 신장을 꺼내 갈 거라며 울었다. "너 때문이야. 네가 돈 없어서 결혼 못 한다고 하니깐 내가 마음이 급해져서, 사업이라도 해 보려고." 나와 남자 친구 사이에 결혼 이야기가 오고 간 적은 한 번도 없었다. 죽겠다고 난리를 치는 남자 친구에게 떠밀려 결국 월세 보증금 2000만 원을 빼서 그에게 빌려줬다. 적금을 깨서 마련한 1000만 원으로 이사 갈 집을 구한 날 밤에, 남자 친구는 내 컴퓨터를 몰래 켜서 인터넷 뱅킹으로 1000만 원을 홀라당 제 계좌에 옮

기고는 튀었다. 내 잘못은 수첩에 비밀번호를 적어
놓은 것뿐이었다.

　무일푼이 되었으니 이사는 무리였다. 나는 고시
원에 방을 얻었다. 창 있는 방은 월세가 32만 원, 창
없는 방은 27만 원이었다. 창 없는 쪽을 골랐다. 예
전에도 창 없는 고시원 방에서 견뎠으니 이번에도
그럴 수 있겠지 싶었다. 침대 위 행거에 사무실에서
들고 나온 포스터를 걸었다. 창문 없는 방 안에 하
늘 조각을 걸어 두고 있는 동안 실업 급여 지급 기
간이 끝났고 이력서를 낸 곳 어디에서도 연락은 오
지 않았다. 아르바이트를 시작했다.

　첫 아르바이트비가 입금되던 날, 언제 가입했는
지 기억도 안 나는 사이트에서 생일 기념으로 할인
쿠폰이 발행되었다는 문자가 왔다. 편의점에서 참
치김밥 한 줄과 컵라면을 사고, 망설이다가 조각 케
이크도 하나 샀다. 고시원으로 돌아와 컵라면에 물
을 받아 쟁반에 놓고, 침대로 가져가 앉았다. 컵라
면 뚜껑을 열며 은경에게 전화를 걸었다. 은경은 모
든 면에서 나와 달랐지만 10년 동안 함께 지지고
볶으며 지낸 내 친구였다. 은경은 전화를 받자마자
어떻게 됐어, 라고 물었다. 나는 똑같아, 라고 대답
했다. 수화기 너머에서 은경은 짧게 한숨을 쉬었다.

　「호구야, 넌. 타고난 호구. 네 팔자 네가 만들고
　있다니깐.」

　은경이 그렇게 말한 순간 포스터가 떨어졌다. 커
다란 포스터가 내 위를 덮었고, 나는 팔다리를 휘적

아홉수 가위

거렸고, 포스터에서 빠져나왔을 때에는 침대 시트가 라면 국물로 빨갛게 물들어 있었다. 걸레로 대충 훔치고 시트를 돌돌 말아 방구석에 밀어 놓았다. 침대는 벌거숭이가 되었다. 회색 때가 군데군데 묻은, 가운데가 푹 꺼진 매트리스에 걸터앉았다.

나는 단지 생일 축하한다는 말을 듣고 싶었던 것뿐이었다.

"죽고 싶어."

불쑥 혼잣말이 튀어나왔다. 손바닥으로 입을 막았다. 케이크를 입안 가득히 밀어 넣었다. 단맛이 혈관을 타고 온몸에 퍼져 나갔다. 그런데도 죽고 싶었다. 이어폰을 꽂고 노래를 듣고, 웹툰을 보고, 잠깐 눈을 감고 누워도 봤다. 그러나 무엇을 해도 죽고 싶었다. 다시 침대에 앉아 행거를 봤다. 포스터는 행거에서 떨어졌다. 견디지 못했다.

뭐가 문제일까. 단지 그것이었다. 더 이상 견딜 수 없게 되어 버린 거였다. 죽어서 성불하지 못한 사람이 헤맨다는 땅속 깊은 밑바닥, 구천(九泉). 그곳을 나타내는 숫자가 들어 있기에 불길하다는 아홉수의 생일날, 내 안쪽 어딘가에 매달려 있던 참을 인(忍) 자가 뚝 떨어진 것이다. 그리고 나는 그것을 다시 매달아야 할 이유를 도저히 찾을 수가 없었다.

'죽자. 더 이상 견딜 필요가 뭐 있어.'

그렇게 결심하자 더 이상 견디지 않아도 된다는 해방감에 오히려 기분이 좋아졌다. 하지만 이 방에서 죽고 싶지는 않았다. 적어도 창이 있는 곳에서, 아니다. 완전 탁 트인 곳에서 진짜 하늘을 올려다보며 죽고 싶었다. 하지만 어디에 그런 곳이? 공원에서 약을 먹었다간 높은 확률로 구급차에 실려 갈 거다. 그렇다고 한강에 뛰어들어서 애꿎은 구조대원들을 고생시키고 싶지도 않았다. 넓고, 사람이 없는 곳에 누워 있다가 잠들듯 죽고 싶었다.

있었다. 그런 곳이.

주변은 온통 밭인 데다 경운기 한 대가 들어가기 힘들 만큼 좁은 샛길 끝에 위치한 단층 양옥. 넓은 마당이 딸려 있던 그곳.

할머니의 집이었다.

*

"여기까지밖에 못 들어가니깐 내려요."

행선지를 말할 때부터 택시 기사는 나를 한밤에 찾아온 불청객처럼 대했다. 경계심 어린 불친절이 호기심 섞인 친절함보다는 나았다. 나는 택시 트렁크에 실었던 상자 두 개를 꺼냈다. 양팔로 껴안아야 빠듯하게 들리는 크기의 상자 안에는 버너와 냄비, 자가 발전기, 한 달은 넉넉히 먹을 컵라면과 햇반, 참치 캔이 들어 있었다. 상자를 꾸릴 때 나는 '야외 캠핑에 필요한 물건'을 검색했고, 참치 캔 하나라도 더 넣으려고 온갖 궁리를 했다. 최후의 만찬용으로 맥주를 챙기고, 평소에 비싸서 잘 사지 못했던 팝콘

과자도 하나 담았다. 상자 속 음식을 다 먹으면 그때 죽자고 정한 터였다. 그러니 나는 상자 꾸리기에 최선을 다해야 했다. 할 수 있는 모든 노력을 한 뒤에 죽었다고 누구에게든 변명하기 위해 그래야만 했다.

"이봐요. 손님. 조심해요."

상자를 끌어안고 밭 사이에 난 샛길로 향하는데 택시 기사가 등 뒤에서 외쳤다.

"가려는 집에 귀신 나와요. 들었어? 귀신 나온다고!"

나는 좁은 길을 줄타기라도 하듯 조심스럽게 걸었다. 더운 여름 날씨에 금세 등과 겨드랑이가 땀으로 축축해졌다. 땀방울이 이마를 타고 흘러내릴 때즘에 기와를 지붕에 인 집이 내 앞에 나타났다. 지붕과 정원은 메마른 연갈색의 풀로 뒤덮여 있고 벽에는 곰팡이가 피어 있었다. 낮은 돌담은 거의 다 무너져 내렸고 문의 살이 떨어져 나가 너덜너덜했다. 그야말로 폐가였다. 그나마 대청마루는 먼지가 끈적끈적할 정도로 달라붙어 있는 것 빼면 멀쩡했다. 부엌의 가스는 끊긴 상태였고, 화장실에서는 문을 연 순간 코가 썩을 듯한 악취가 새어 나왔다. 요강도 사 올 걸 그랬다, 고 잠깐 후회했다.

당장 오늘 잘 장소를 확보해야 했다. 나는 상자를 대청마루 한쪽에 놓고 걸레를 꺼내 마루를 닦기 시작했다. 먼지와 곰팡이는 좀처럼 자신들의 안식처에서 떨어져 나오려 하지 않았다. 대청마루를 걸레로 벅벅 문지르고 있자니 오래된 건물의 주민을 내 쫓는 악덕 건설업자가 된 듯했다. 평생을 쫓겨나기만 했으니 쫓아내는 입장이 되면 통쾌할 줄 알았는데 그다지 기쁘진 않았다. 주변이 어둑해진 뒤에야 간신히 누울 수 있을 만큼의 공간이 깨끗해졌고, 걸레는 검게 변했다. 나는 부엌 옆에 붙어 있는 창고로 향했다. 창고에 대야 같은 것이 있을지도 몰랐다. 먼지와 곰팡이와 정체 모를 식물들에 점령당했어도, 이 집에는 할머니가 쓰던 가구들이 그대로 남아 있었다. "내가 죽으면 이 집은 그대로 놔둬." 그게 할머니의 유언이었다. 할머니를 좋아하지 않던 친척들이, 할머니의 유언을 지킨 것이 의외였다. 단순히 너무 외진 곳에 있는 집이라 통 팔리지 않아 방치해 둔 것일 수도 있었다. 창고 안을 뒤지다, 상자 더미 아래에 깔려 있는 빨간 대야를 발견했다. 끄집어내는데 위에서 무언가 툭 떨어졌다. 비디오 테이프였다. 한가운데에는 공포 영화의 라벨이 붙어 있었다.

'이게 언제 개봉됐더라. 할머니한테 영화를 보는 취미가 있었나.'

기억나지 않았다. 내가 할머니와 헤어진 건 21년 전이었고, 그때 나는 고작 여덟 살이었다. 해마다 퇴적된 기억의 층에서 그 시간들은 이미 화석이 되어 버린 터였다. 나는 문득 그 화석의 일부라도 캐내어야 한다는 충동에 휩싸였고, 눈앞에 쌓인 상자 더미를 해체하기 시작했다. 한참이나 먼지를 뒤집어쓴 끝에 작은 텔레비전을 찾아냈다. 비디오 플레

아홉수 가위

이어가 일체형으로 장착된 모델이었다. 대야 안에 텔레비전과 테이프를 담아 들고 창고 밖으로 나왔다. 텔레비전과 자가 발전기를 연결한 다음 대야에 걸레를 담았다. 마당에 있는 펌프 손잡이를 힘껏 눌렀다. 물은 나오지 않았다. 전기가 끊긴 집에 수도가 연결되어 있을 리 없었다. 결국 대야를 펌프 아래 놓아둔 채 대청마루에 모포를 폈다. 모포에 드러누워 비디오테이프를 플레이어에 밀어 넣었다. 본 적 없는 영화였지만 내용은 대충 알고 있었다. 텔레비전에서 기어 나오는 귀신. 고전이 되어 버린 그 이름, 사다코.

"이렇게 좁은 화면으로 기어 나오려면 고생 좀 하겠다."

내 혼잣말에 대답하듯 영화가 시작되었다. 사다코가 기어 나오는 장면으로 시작할 줄 알았는데, 의외로 평화로운 집 안 풍경이 화면에 나타났다. 교복을 입은 여자 둘이 낭랑한 목소리로 괴담을 주고받기 시작했다.

'좀 좁으면 어때. 사다코는 텔레비전만 있으면 어느 집에든 들어가서 살 수 있는 거잖아.'

나 같으면 저 집에 들어가서 자매인 척, 여자들 틈에 끼어 앉아 같이 괴담을 나누겠다. 귀신이라면 상대에게 쟤는 원래 우리 가족이다, 하고 최면을 걸 능력쯤은 가지고 있지 않을까.

'괜찮네, 귀신. 귀신이 되면 창문 있는 집에서 살 수 있잖아.'

역시 죽자. 죽어서 귀신이 되자. 여름의 더위와 피로로 뒤섞여 졸음을 몰고 왔다. 나는 여자의 괴담을 미처 다 듣지 못하고 잠이 들었다. 잠이 들었다고 생각했다.

머리를 풀어헤친 여자가 내 배 위에 올라서 있는 모습을 보기 전까지는.

*

"… 마셔라, 마셔. 안 마시면 안 돼. 칠성 줄 끝이 아슬아슬하게 너한테까지 닿아 있단 말이다. 거기 콱 묶이기 싫으면 마셔야 한다."

할머니는 매일 저녁, 부적을 태운 재를 물에 타서 나더러 마시라고 했다. 내가 언제부터 할머니와 함께 살기 시작했는지는 정확히 기억나지 않는다. 주변의 사물을 인식할 수 있게 되었을 때, 이미 나는 여기에 있었다. 할머니 말고는 아무도 없고, 주변에 이 집 말고는 무엇도 없는 이곳에. 그렇기에 내겐 할머니가 곧 세계이자 우주였다.

여섯 살 때 처음으로 할머니와 함께 읍내에 나갔다. 너무 많은 사람들에 겁을 먹고 할머니의 뒤에 붙어 서 있는 내게, 한 여자아이가 말을 걸었다.

"넌 왜 엄마가 아니라, 할머니랑 다녀?"

집으로 돌아오는 길에 나는 할머니에게 '엄마'가 뭐냐고 물었다. 할머니는 나를 들어 품에 안고는 그렇구나, 라고 중얼거렸다. 그날 저녁 할머니는 부적을 태우지 않았다. 대신 아주 오랫동안 누군가와 통화를 했다.

"내가 나 보고 와 달라 하는 건가? 어린것이 이 세상 일 하나 모르게 될까 걱정되어 부탁하는 것이지. 말은 바로 해야지. 내 언제 먼저 오지 말라 한 적 있나? 서방 잡아먹고 자식까지 잡아먹은 팔자 센 것이라고 내친 것이 어느 쪽인데."

그다음 날부터 집에 사람이 찾아오기 시작했다. 처음 온 사람은 삼촌이었다. 그는 내게 동화책을 한 아름 안겨 주고 갔다. 다음 날에는 고모라는 사람이 왔다. 그는 나를 보자마자 울었다. 그 뒤로도 젊은 남자, 젊은 여자, 좀 더 나이 든 여자, 나만큼 어린 아이, 할머니만큼 나이 든 남자들이 틈틈이 집에 드나들었다.

"아들 죽고 은둔이라도 할 듯이 굴더니. 지 손녀 바보 될까 봐 걱정은 하나 보지."

"애초에 왜 이런 땅을 사서 집을 지어. 남편이 남긴 얼마 안 되는 돈, 다 이 집 짓는데 꼬라박은 거 아냐. 그것 때문에 친척들 다 척지고. 그때 우리 말대로 재개발하는 데 투자를 했어 봐. 지금쯤 크게 돈 벌어서 친척들 다 나누어 가지고 하하 호호 했을걸."

"원래 별나잖아. 처음에 형이 결혼한다고 데려왔을 때, 엄마가 궁합 보러 갔다 들은 말 기억나? 여자가 신 받을 팔자인데 왜 결혼하냐고. 신 피해 다니느라 주변 사람 잡아먹을 거라고. 그 말이 딱 맞았지."

사람들 중 몇몇은 나 들으라는 듯이 별별 말을 다 했다. 그 말들과, 방 한쪽에 쌓인 책들과, 읍내를 오고 가며 배운 것들이 내게 가르쳐 주었다. 내가 할머니와 함께 사는 것이 아주 당연한 일은 아니라는 것을. 내게는 아빠와 엄마가 있고, 아빠는 내가 어릴 적 죽었고, 엄마는 나를 할머니에게 맡기고 사라졌다. 그러니깐 나는 '할머니의 아이'가 아니었던 거다. 당연했던 것이 실은 당연하지 않다는 걸 깨닫고 받은 충격은 굳건하던 내 세상을 뒤흔들었다. 나는 착하게 굴려고 애쓰기 시작했다. 반찬 투정을 하지 않았고, 재를 탄 물을 군말 없이 마셨다. 찾아온 어른들이 기분 나쁜 말을 해도 말대꾸를 하지 않고 참았다.

"얘도 지 할머니 팔자 그대로 탄 거 아닌지 몰라. 무당 팔자는 원래 같은 성별로 내려간다며. 그럼 얘가 지 할머니 잡겠네. 신기 물려주면 죽는다던데."

그 말을 듣고도 참았던 날 밤, 온몸이 불덩이가 된 것처럼 열이 났다. 할머니는 수건으로 내 이마를 닦아 주며 끌끌 혀를 찼다.

"어린 게 왜 화병이 나. 뭘 그렇게 속으로 삭였어. 왜 너까지 그래. 아서라. 참지 마. 싫은 게 있으면 싫다고 해. 상대방에게 말해도 돼. 참고 참아서 죽은 여자들이 이 땅 아래 이미 너무 많아. 저 우물 안에도 한 명 있지 않으냐. 그러니 아가. 넌 그

아홉수 가위

리 하지 마라."

할머니의 말 마디마디가 약 같았다. 몹시 앓고 난 그날 이후, 나는 착하게 굴기를 그만뒀다. 화내고, 대들고, 싫다고 소리쳤다. 다른 사람들이 뭐라고 하든, 책에서 무엇을 정답이라고 하든, 내 세상은 할머니가 있기에 무너지지 않을 수 있었다.

할머니가 영영 사라졌던 여덟 살 겨울밤에 나는 소리를 지르며 울었다. 나를 데리러 온, 처음 만난 엄마는 내 뺨을 때렸다.

엄마는 할머니와 달리 내게 늘 참으라고 말하는 사람이었다. 엄마에게 이끌려 할머니의 집을 떠난 이후 나는 많은 걸 참아야 했고, 그것은 서서히 내 성격이 되어 갔다. 열여덟 살에 엄마의 집을 나오기까지 쌓인 지층이 너무 두꺼워서 그 아래 묻힌 기억들은 점차 희미해져 갔다. 그러나 내 배를 밟고 선 여자와 눈이 마주치는 순간에 할머니의 목소리가 다른 기억을 밟고 올라왔다. 마셔야 해, 라는 그 말. 부적을 태운 재가 둥둥 떠 있던 물의 비릿함까지 선명히 떠올랐다. 여자는 한참이나 나를 노려보다 말했다.

내 집에서 나가, 라고.

*

할머니의 집에서의 매일은 반복되었다. 폐가를 청소하는 건 시간과 체력이 드는 일이었기에, 의외로 한가하진 않았다. 집에서 30분쯤 떨어진 약수터에서 물을 길어다 써야 했기에 더욱 그랬다. 나는 쓸고 닦고 먹고, 텔레비전을 보다가 잤다. 딱 한 번 읍내에 가고 싶단 충동이 일었는데 가져온 믹스 커피가 다 떨어졌기 때문이었다. 휴대폰이 방전된 데다 충전용 잭을 가져오지 않은 터라, 택시를 부를 수 없어 포기했다. 집에서 읍내까지 걸어서 가려면 두 시간은 걸릴 터였다.

커피가 떨어진 것 외에도 문제는 있었다. 가위눌림이었다. 매일 밤, 여자는 내 배 위에 서서 집에서 나가라고 소리를 질렀다. 귀신이 참 성실하기도 했다. 딱히 무섭지는 않았지만 가위눌림 특유의 감각은 결코 유쾌하지 않았다. 그러고 보면 할머니가 처음 내게 재를 탄 물을 마시게 했던 것도 가위눌림 때문이었다. 지금도 어렴풋이 기억난다. 귓가에 속삭이던 여자의 노랫소리와 손가락 하나도 움직일 수 없었던 기묘한 마비감. 동구 밖, 과수원 길, 아카시아꽃이 활짝 폈네…. 흐느끼는 듯 이어지던 노래는 무섭다기보다는 서글펐다. 할머니는 그날부터 뒤뜰에 있는 우물 앞에 대접을 놓고, 절을 하고, 부적을 태웠다. 그때마다 할머니는 우물가에 꽃을 두었다. 그러곤 내 베개 아래에 가위를 넣으며 이것이 삿된 기운을 싹둑 잘라 줄 것이다, 라고 말했다. 나는 기억을 헤집어 할머니의 목소리를 끌어올리다 퍼뜩 깨달았다.

'우물에서 물을 구할 수 있으면, 약수터까지 안 가도 되잖아?'

아홉수 가위

나는 뒤뜰로 향했다. 집 안을 청소하기도 바빠서 이제껏 뒤뜰을 살펴본 적이 없었다. 우물 가까이 가 살펴보니, 우물은 나무로 된 뚜껑으로 덮여 있었다. 뚜껑을 열고 안을 보니 새까매서 바닥이 통 보이지 않았다. 물이 있는지 없는지도 알 수가 없었다. 나는 부엌에서 물 한 바가지를 퍼 와서 우물에 부었다. 우물 안을 향해 아무리 귀를 기울여도 수면과 물이 부딪치는 소리는 나지 않았다. 아무래도 마른 우물인 듯했다.

그날 밤, 나는 가위를 머리맡에 두고 잤다. 또다시 가위눌림이 시작되었고 귀신이 내 배 위에 섰다. 평소와 다른 점이라면 귀신의 머리카락과 몸에서 물이 흘러내리고 있다는 거였다.

"너 때문이잖아. 너 때문에!"

나타날 때마다 자기 집에서 나가라고 외쳐 대더니, 이제는 다짜고짜 내 탓이란다. 이놈도 저놈도 다 내 탓이라더니, 이젠 귀신까지 지랄이다. 꼼짝도 못 하는 채로 귀신의 외침을 듣고 있자니 점점 화가 났다. 나는 손가락 끝을 꼼지락거리기 위해 갖은 애를 썼다. 움직였다. 손가락이 움직이자 팔까지 확 마비에서 벗어났다. 나는 머리맡에 둔 가위를 집어 귀신에게 던졌다.

"별게 다 내 탓이래. 진짜!"

가위는 귀신의 이마를 강타하고 바닥으로 떨어졌다. 귀신 주제에 저렇게 정통으로 맞을 줄은 몰랐다. 그 순간 가위눌림이 완전히 풀렸다. 나는 몸을 일으켜 앉았고, 내 배 위에 올라타 있던 귀신은 휘청거리며 바닥으로 굴러떨어지듯 내려섰다. 귀신은 이마를 부여잡고 쩔쩔매다가, 나와 눈이 마주치자 어렵사리 표정을 가다듬으며 일어났다. 그러곤 제자리에서 뛰었다. 뛰고 또 뛰었다. 매섭던 귀신의 표정이 점점 당혹감으로 물들었다.

"어머. 이게 왜 안 돼. 나 못 돌아가나 봐."

귀신은 비척비척 대청마루 구석으로 가 쪼그려 앉았다. 나는 귀신의 산발한 머리카락과, 웅크린 등을 바라보다 다시 자리에 누웠다. 귀신은 아침이 되면 사라질 것이다. 게다가 나도 곧 죽을 텐데 귀신이 마루 구석에 있는 게 뭐 별일인가 싶었다.

다음 날 아침, 내가 본 것은 여전히 마루 한쪽에 앉아서 이마를 문지르고 있는 귀신이었다.

*

"네가 영매 체질이라 내가 붙들린 거지. 붙들려면 좀 제대로나 하지 뭐니, 이게. 빙의도 아니고. 그래도 오랜만에 사람이랑 물건도 만질 수 있고 좋긴 하네. 뭐니, 이건? 버너? 불붙이는 도구라고? 예전에는 아궁이에 불붙여서, 그거 안 꺼뜨리려고 얼마나 생고생을 했는지 몰라. 예전이 언제기는. 내가 살아 있을 때지. 뭐? 조선 시대? 너무 갔다. 나 엄연히 대한민국 국민이야. 1935년생. 그건 뭐야? 라면? 세상에. 라면…. 나 한 번도 못 먹어 봤는데, 그거 맛있니?"

아홉수 가위

귀신은 말이 많았다. 내가 밥을 먹을 때에도 앞에 앉아 말을 했고, 청소를 할 때에도 쫓아다니며 말을 걸었다. 나는 귀신과의 동거에 익숙해졌다. 귀신은 공중에 살짝 떠 있다는 점만 빼면 사람과 별반 다를 것이 없었다. 비록 머리는 산발이고 안색은 새파랗고 눈가는 판다 저리 가라 할 만큼 시커멓지만, 특수 분장을 한 거라고 생각하면 못 볼 정도로 끔찍하진 않았다. 게다가 귀신과의 동거에는 엄청난 장점이 있었다. 시원했다. 한여름에 땀을 뻘뻘 흘리며 고시원에 두고 온 선풍기를 그리워하던 날들과는 이젠 안녕이었다. 귀신이 마루에 앉아 있으면 집 전체는 물론이고 마당에까지 서늘한 냉기가 은은히 깔렸다. 거의 에어컨 수준이었다. 그뿐만이 아니었다. 귀신은 펌프에서 물이 나오게 해 주었다. 아침마다 약수터에 가야 했던 날들과도 안녕이었다. 내가 뿜어져 나오는 물을 보고 박수를 치자, 귀신은 어깨를 으쓱였다.

"이쯤이야 뭐. 난 지박령이자 물귀신이니깐."

하지만 동전에도 양면이 있는 법인지라 귀신은 사방에 물을 흘리고 다니기도 했다. 어떻게 좀 안 되냐고 묻자, 귀신은 입꼬리를 비죽이며 답했다.

"어쩔 수 없어. 난 지박령이자 물귀신이니깐."

귀신이 가져다준 시원함이 워낙 강력해 걸레질을 더 자주 해야 한다는 것 정도는 참을 수 있었다. 나는 걸레를 대야에 담가 놓고, 상자에서 컵라면을 꺼내며 남은 음식량을 대충 살펴보았다. 한 열흘쯤 더 먹을 수 있을 듯했다.

열흘. 열흘이 지나면 나는 죽는다. 가져온 음식을 다 먹으면 죽자고 마음먹고 왔으니깐. 상자를 채우던 때보다 훌쩍 가까워진 죽음이, 왜인지 그때보다 더 절실하게 와닿지 않았다. 상황이 나아져서가 아니었다. 내 통장에는 딱 70만 원이 들어 있다. 시신을 화장하는 데 그 정도 비용이 든다고 해서 일부러 남기고 온 돈이다. 자기 시신 태울 돈을 마련해 놓고 폐가에서 죽기를 기다리는 사람. 그게 바로 지금의 나였다. 그런데도 고시원에 있을 때보다 죽음이 멀게 느껴지다니, 대체 왜일까. 몇 개 남지 않은 라면을 보고도 벽의 곰팡이는 어떻게 없애야 할까를 고민하는 상황이 귀신과 마주 앉아 있는 것보다 더 비현실적으로 느껴졌다.

나는 컵라면 뚜껑을 열고 한 젓가락을 집었다. 내 앞에 앉은 귀신의 고개가, 내 젓가락을 따라 위아래로 움직였다.

"먹을래?"

정말로 귀신이 음식을 먹을 수 있을 거라 여겨 한 말은 아니었다. 누군가 앞에 앉아 있으면 음식을 권해야 한다고 세뇌당해 온 유교 걸의 마인드가 영혼 없이 건넨 말이었을 뿐이다.

"그래도 돼? 그럼 나, 이 집에 있는 거 다 먹어도 돼?"
"뭐…. 먹을 수 있으면."

그러자 귀신은 내 손에서 컵라면을 빼앗아 가더

아홉수 가위

니, 후루룩 컵라면을 물처럼 들이켰다. 귀신의 목
부근이 요란하게 움직였다. 귀신은 만족스러운 표
정을 지으며 컵라면을 바닥에 내려놓았다. 라면은
조금도 줄지 않은 상태였다.

'먹는 척만 한 건가?'

나는 도로 컵라면을 들고, 면을 한 입 먹었다. 라
면에서는 아무런 맛도 나지 않았다. 어떠한 맛도 남
아 있지 않은 면을 씹고 있자니, 횟집에서 아르바이
트를 할 때 돈이 없어서 접시에 까는 천사채를 집어
먹었던 일이 떠올랐다. 설마 라면 면발에서 그 무미
건조한 맛을 느끼게 될 줄이야. 억지로 면을 씹어
삼키는 나를 보며, 귀신은 히죽 웃었다.

"맛없지? 귀신이 먹은 음식에서는 맛도 영양도
사라져. 제삿밥 먹어도 살 안 찐다는 말이 거기서
나온 거라고."
"제삿밥 맛만 좋던데."
"제사 챙겨 받는 귀신들은 배가 덜 고프니깐 체
면 차리는 거지. 난 굶은 지가 몇 년인데."

나는 결국 컵라면을 다시 바닥에 내려놓았다.

"그렇게 배고프면 한 입 달라고 먼저 말을 하지."
"사람이 이거 드쇼, 하기 전까지는 사람 음식에
손을 못 대. 내가 그렇게 하고 싶어도 안 돼."

귀신에게는 귀신의 법칙이 있는 거라고, 귀신은
또다시 수다를 떨었다. 귀신이 유일하게 말을 하지
않을 때는 노래를 부를 때뿐이었다. 귀신은 종종 마
루에 앉아 노래를 불렀다. 동구 밖, 과수원 길, 아카시아꽃이 활짝 폈네…. 나는 종종 귀신 옆에 앉아 노래를 들었다. 그때마다 내 눈꺼풀 안쪽에서 할머니의 흰 한복 자락이 바스락 소리를 내며 너울거렸다.

어릴 적 이 집을 떠난 후 긴 시간, 내 머릿속 안쪽에는 '만약에'라는 물음표가 빙빙 돌았다. 만약에 내가 할머니와 계속 살았다면 나는 싫은 것을 싫다고 말할 수 있는 삶을 살았을까. '만약'이란 단어에는 과거에 포기했던 것의 가치를 고평가하게 만드는 습성이 있어서, 나는 모든 경우의 수를 염두에 두고도 엄마의 옆에서 어른이 되는 것보다는 나았으리라 하는 결론에 이르곤 했다. 귀신의 노랫소리는 애써 깊이 묻어 놓았던 물음표를 툭툭 건드렸고, 자극을 받은 만큼 또 다른 '만약에'가 쏟아져 나왔다. 만약에 내가 '너의 탓이야'라고 말했던 사람들에게 화를 낼 수 있었다면 무언가 달라졌을까. 나도 몰랐던 미련이 '만약'에 달라붙어 공처럼 데굴데굴 굴러 나올 즈음이 되면 귀신은 노래를 멈추고 물었다. "우리 밥 안 먹어?"라고. 귀신은 하루 세끼를 정말 귀신같이 챙겨 먹고 싶어 했다. 나는 귀신 몫의 컵라면을 따로 끓였다.

상자는 빠르게 바닥을 보였다.

*

마지막 만찬의 날이다. 점심을 먹으려고 상자를 열어 보니 컵라면 하나만 남아 있었다. 저녁에 맥주와 과자를 먹으면 상자는 완전히 비게 된다. 나는

아홉수 가위

컵라면을 끓이고 그릇 두 개에 나누어 담았다. 귀신은 그릇을 받자마자 면발을 후루룩 빨아들였다. 귀신의 머리카락이 그릇 안에 닿을 듯 흘러내렸고, 나는 손목에 차고 있던 고무줄을 벗어 귀신에게 건넸다. 귀신은 고무줄을 본체만체하고 라면만 먹었다. 나는 귀신의 등 뒤로 가서 머리카락을 그러모아 쥐고 고무줄로 묶었다. 하지만 묶기가 무섭게, 귀신의 머리카락은 다시 산발이 되었다. 고무줄은 벗은 적 없다는 듯 내 손목으로 돌아와 있었다.

"소용없을걸. 나 귀신이잖니. 그 고무줄이 영물이 아닌 이상, 사람 것이 나한테 닿겠니. 나도 머리 묶고 싶어서 죽겠어. 그래도 나, 얼굴 좀 좋아지지 않았어?"

귀신이 나를 올려다보았다. 확실히 그랬다. 새파랬던 안색에 살짝 핏기가 돌았고, 눈가의 다크서클도 옅어져 있었다. 처음 보았을 때의 모습이 특수분장 상태였다면, 지금은 몸이 많이 안 좋은 사람으로 보였다.

"집이 좀 깨끗해졌잖아. 난 이 집의 지박령이니깐. 집이 좋아지면 나도 좋아지는 거지."
"내 덕분이네. 어쩌니. 나 없어지면 청소할 사람도 없어지고, 그럼 다시 더러워질 텐데."

귀신은 흥, 콧방귀를 뀌며 손을 휘저었다.

"됐으니깐 빨리 가. 이 집에서 나가. 너 때문에 내가 영 안 편해."

나는 손목의 고무줄을 튕기며 자리에 돌아와 앉

왔다. 라면은 그사이에 불어 있었다. 면발처럼 귀신이 던진 말도 내 안에서 몸집을 불려 갔다. 콩알만 한 서운함. 그 서운함이 툭툭 쏟아져 나와 몸 안을 굴러다니고 있던 공들을 건드렸다. 운동회에서 터질 듯 터지지 않던 박처럼 공은 아슬아슬 입을 벌리고 있었다.

"얘…. 너 눈가가 왜 그렇게 붉어. 울어?"

터졌다. 오색찬란한 색종이 꽃가루가 터지듯, 나는 울었다. 울면서 속사포처럼 말을 쏟아 냈다. 무슨 말을 그렇게 해. 왜 나한테 그래. 왜 내 탓이야. 왜 나보고 호구라고 그래. 내가 진짜로 호구일지 몰라도 사람을 호구로 만든 쪽이 나쁜 거잖아. 말이 줄줄 쏟아져 나조차도 당혹스러웠다.

"진정하고 차근차근 말해 봐. 어쩜 좋아. 이 나이 먹고 애를 울리다니. 내가 너무 막돼먹은 귀신 같잖아."

아홉수다. 할머니의 집을 떠난 이후 모든 걸 참아야만 했던 아이는 잘 견디는 어른이 되었다. 나는 구불구불 스물아홉 살이 될 때까지 다른 사람 앞에서 운 적이 없었다.

"그만 울어. 응? 누구 때문에 그래. 뭐 때문에. 어휴, 네 할머니가 너 우는 거 보면 날 죽이려고 달려올 거야. 아, 나 벌써 죽었지."

아홉수가 아니었다면, 만난 지 얼마 되지도 않은 귀신 앞에서 엉엉 울거나 귀신의 주접에 울다가 웃거나 하지는 않았을 거다.

아홉수 가위

"할머니? 우리 할머니? 네가 할머니를 어떻게 알아?"

그리고 귀신과 최후의 만찬까지 함께하게 될 일도 없었을 터다. 맥주와 팝콘을 가운데에 놓고, 나와 귀신은 대청마루에 마주 앉았다.

매미의 울음소리가 귀신의 말소리와 뒤섞였다.

*

너희 할머니를 내가 왜 몰라. 알지. 어릴 적에 동무였어. 너희 할머니는 열네 살 즈음에 마을을 떠났고, 나만 남았어. 마을 사람들이 너희 할머니를 참 미워했어. 장맛비가 심하게 와도, 가뭄이 들어도, 네 할머니가 신을 안 받아서 그렇다고 했어. 별걸 다 너희 할머니 탓으로 돌렸다니깐. 너희 할머니랑 같이 놀지 말라고 아빠가 나를 엄청 때렸어. 그래도 난 너희 할머니가 좋았어. 내가 노래를 부르면 다들 계집애가 시끄럽다고 구박만 했는데, 너희 할머니는 잘 부른다고 해 줬지. 내가 꽃을 좋아하니깐, 꽃반지도 만들어서 나한테 주고…. 너희 할머니가 떠나면서 나한테 그랬어. 꼭 돌아올 테니깐 기다리라고. 그 말 하나에 의지해서 모진 날을 견뎠어.

이 집이 여기 세워지기 전에, 내가 여기 집을 지었어. 이렇게 지붕 제대로 올린 집이 아니라 판잣집. 그것도 한 달이나 넘게 쪽잠 자 가면서 지었어. 여기가 내 땅은 아니었고, 그냥 아무도 안 사는 버려진 땅이겠거니 하고 지은 거지. 급했거든. 어디든

잘 곳이 필요했어. 여기 우물이 있잖아. 우물이 있
으면 일단 물 걱정은 없으니깐 여기서 살자 싶었지.
왜 집이 필요하기는. 쫓겨났으니깐 그랬지. 어디긴.
시댁에서. 아들을 못 낳았다는 게 이유였어. 하나
낳은 딸은 한 살 못 넘기고 죽었지.

　스무 살에 마흔 다섯 살 남자에게 시집을 갔어.
그 남자가 밭을 약간 가지고 있었는데, 그걸로 유
세가 장난이 아니었지. 쓸모없는 계집 둘을 지가 다
먹여 살린다고 소리를 지르면서 밤마다 나를 때렸
어. 그 밭일, 누가 다 했는데. 딸애도 남편이 죽인 거
나 다름없어. 임신 중에 보리밥도 제대로 못 먹고
일했으니 아기가 비쩍 곯아 나왔어. 됐다. 이미 떠
난 애 이야기해서 뭐 해. 근데 내 새끼라 그런 게 아
니라 정말 예뻤어. 꽃같이 예쁜 아가였어.

　여하튼 아기 떠나보내고 정신 줄 안 놓으려고 아
득바득하고 있는데 남편이 나보다 한 살 어린 애
를 데리고 온 거야. 걔가 임신을 하고 있더라. 매달
리지 않고 나왔어. 배부른 여자애가 내 눈치를 보
며 서 있는데 어이구, 내가 저것이랑 싸워서 뭐 하
나 싶더라. 친정으로 돌아갈 수는 없었고, 마을 사
람들 누구에게 재워 달라고 할 수도 없었어. 마을
사람들도 다 남편 눈치를 봤거든. 남편이 워낙에 행
패를 부리니깐. 그래서 이 산기슭까지 온 거지. 지
금은 여기 밭이 있잖아? 그때는 밭도 없고 그냥 허
허벌판이었어. 집을 지었지. 짓고 나니깐 너무 좋은
거야. 내 집이잖아. 내 집! 쪽방에서 새우잠 잘 때마
다 발 편히 뻗고 잘 방 한 칸만 있었으면 하고 얼마

아홉수 가위

나 바랐는지 몰라. 그런데 집이 생겼잖아. 좀 덥고 비 새고 겨울엔 얼어 죽을 것 같은 집이어도 내 집! 너무 신나더라.

내가 또, 일은 참 잘했어. 삯바느질 솜씨도 끝내 줬고 밭일도 잘했지. 굶어 죽을 걱정은 할 필요가 없었어. 맨몸으로 자다가 돈 모아서 담요 사고, 밥 그릇도 사고, 살림 채우는 재미가 어찌나 좋던지. 혼자 발 뻗고 자니깐 옥수수 하나로 끼니를 때워도 그렇게 꿀맛이야. 겨울 오기 전에 돈 좀 모아서 지 붕 먼저 제대로 얹자, 이러고 있었지. 그 미친놈이 찾아와서 집에 불 지르기 전까진.

그래. 불 질렀다니깐. 그 남편이란 새끼가 술을 잔뜩 먹고 와서는 어디 계집년이 서방 없이 잘 사냐 고, 건방지다고 소리 지르면서 불 지르고 갔어. 집 다 탔지. 있는 돈 전부 털어 막걸리 한 병 사 가지 고, 불탄 집 앞에 앉아서 마셨어. 난 내가 그렇게 술 이 약한지 몰랐고, 술에 취하면 그렇게 안 좋은 생 각만 난다는 것도 몰랐어. 원귀가 되어서 남편을 따 라다니며 괴롭히자고, 그런 바보 같은 생각으로 우 물에 몸을 던졌어. 근데 원귀가 아니라 지박령이 된 거야. 그럴 만도 했지. 남편한텐 미련이 요만큼도 없고, 집에 대한 미련만 철철 넘쳐흘렀으니깐. 그렇 게 오도 가도 못하고 있는데, 불타 버린 집터에 누 가 집을 짓더라. 그게 너희 할머니였어.

너희 할머니, 내가 여기 있는 거 알고 이 집을 지 었어. 집 짓고 우물 앞에 제사상 차려 주고 나한테 그러더라. 이제야 와서 미안하다고. 쭉 네가 여기 있을 수 있게 해 주겠다고. 그 뒤로 가끔 네 할머니가 상도 차려 주고, 꽃도 꺾어서 놓아 주고 그랬지. 그럼 나는 노래 불러 줬어. 그런데 네가 왔잖아. 어찌나 민감한지. 난 네가 내 노랫소리를 들을 줄은 몰랐어. 네 아빠 있잖니. 걔는 엄청 둔했거든. 그러니깐 너도 그럴 줄 알았지. 그래서 네가 온 뒤로는 조용히 지냈지. 좀 서운하긴 했는데 내 손주가 친구보다 중요한 거야 어쩔 수가 없잖아. 그래도 네 할머니, 늘 내게 꽃을 줬어. 내가 꽃을 참 좋아하거든. 특히 아카시아꽃.

애. 근데 진짜 왜 갑자기 울었어? 나 때문은 무슨. 진짜? 서운했어? 나는 그런 뜻이 아니라…. 너 여기 오래 있으면 안 좋으니깐, 빨리 가라고 한 거야. 너랑 같이 있는 거 나야 좋지. 하지만 네가 기 빨리면 어쩌나 계속 신경 쓰인단 말이야. 애 좀 봐. 귀신 무서운 걸 모르네. 귀신하고 같이 있으면 양기 빨려. 반송장 돼. 너 그렇게 되면 내가 네 할머니한테 미안해서 고개를 못 들어. 뭐? 어차피 죽을 거니깐 상관없다니. 애가 농담도 참 살벌하게 하네. 농담이 아니라니, 무슨 소리야. 역시 너 운 거, 나 때문만은 아니지. 말해 봐. 너 여기 왜 온 거야?

*

나는 말했다. 부도 난 회사와 돈을 들고 도망간 남자 친구, 그리고 생일날 친구와 한 통화와 떨어진 포

아흡수 가위

스터까지. 귀신은 내 이야기를 듣는 동안 오독오독, 계속 팝콘을 먹었고 나는 맥주 두 캔을 다 마셨다.

"이거 맛있다. 예쁘기도 하고. 생긴 게 꽃 같아. 아카시아꽃."

"잠깐. 설마 한 봉지 다 먹은 거야? 안주 할 거, 딱 이거 한 봉지밖에 없는데?"

맛보지 못한 과자에 대한 아쉬움이 과거의 꿀꿀함을 이겼다.

"너, 어떻게 죽을지는 정했어?"

죽자, 라고 생각했을 뿐, 죽음의 방식까지는 한 번도 생각해 본 적이 없었다. 사방이 벽으로 막힌 고시원에 앉아 있던 그때엔 가만히 있어도 그냥 죽을 수 있을 것 같았으니깐.

"잘 생각해야 돼. 목매달았는데 세상에 미련이 남아서 귀신이 되잖아? 그럼 목이 이렇게, 90도로 꺾인 상태로 다녀야 된다? 손목 긋고 죽잖아. 그럼 손목이 막 덜렁거려. 물귀신은 나 봐서 알지? 추락사는 더 심해. 머리 깨지고, 코 뭉개진 채로 돌아다녀야 한다니깐."

"… 시신 수습 잘하면 귀신은 안 되지 않을까? 돈 남겨 두고 왔는데."

"시신에 금칠을 해 봐라. 이 세상에 미련이 남아 있으면 아무 쓸모 없어. 귀신이 될 확률 90%. 아까 이야기 들으니깐 너, 미련이 철철 넘치던데. 그러니깐 죽을 방법 잘 골라."

"미련은 무슨. 없어, 그런 거."

안주 없이 마신 탓인지 취기가 확 올라왔다. 나는 마루에 드러누웠다.

"없기는. 너 아까 과자 못 먹은 것도 아쉬워했잖아. 그런 게 다 미련이야. 남기고 온 돈으로 죽은 몸뚱이 살피느니, 그 돈으로 과자나 실컷 먹지 그랬어. 아까 그 과자, 뭐라고 한다고?"

팝콘. 팝콘이라고. 중얼거리며 눈을 감았다. 매미 소리가 잦아들고 정적이 내려앉았다. 자, 푹 자고 일어나면 어떻게든 되어 있을 거야. 귀신이 그렇게 속삭인 것도 같았다. 귀신의 노랫소리가 자장가처럼 이어졌다. 나는 그야말로 죽음과도 같은 잠에 빠져들었다.

*

배가 고파서 잠에서 깼다. 얼마나 잔 것인지 감도 잡히지 않았다. 이대로 계속 자면 굶어 죽는 걸까. 그것도 나쁘지 않겠다고 멍하니 생각했다. 아사한 귀신이 흉해 봤자 비쩍 마르거나 하겠지 달리 어떻게 되겠는가. 그런데 곧 극심한 허기가 온몸을 감싸듯 덮쳤다. 손을 뻗어 사방을 더듬으니 손끝에 컵이 걸렸다. 컵 안의 물을 몽땅 마시자 고통은 그나마 견딜 수 있을 정도로 가라앉았다. 나는 간신히 몸을 일으켜 마루 구석에 놓인 상자로 기어갔다. 상자 안에는 아무것도 없었다. 나는 상자 귀퉁이를 조금 뜯어 입에 넣고 씹었다.

아홉수 가위

"깼니? 너, 사흘이나 잔 거 알아?"

입안의 종이가 축축해졌을 때 귀신이 나타났다. 귀신은 특수 분장을 한 듯한 모습으로 되돌아가 있었다. 눈가의 다크서클은 처음 봤을 때보다 더 심해져 있었다.

"사흘? 어쩐지, 배가 너무 고프더라. 나 하나만 묻자. 아사하면 어떤 귀신이 돼?"

"걸귀가 되지. 평생을 미친 듯한 배고픔에 시달리며 사는 귀신. 먹어도 배부름을 못 느껴. 귀신 중에서도 난이도 상이야. 오죽하면 아형(餓刑)이라고, 형틀 안에 사람 가두고 굶겨 죽이는 형벌이 있었겠니."

굶어 죽는 건 안 되겠다. 죽어서도 이런 고통에 시달려야 하다니, 안 될 일이다. 나는 입안에서 곤죽이 된 종이를 꿀꺽 삼키고 몸을 일으켰다. 방전된 채 구석에 처박혀 있었던 휴대폰을 찾아 주머니에 넣은 뒤 물통 가득 물을 채웠다.

"읍내까지 걸어가게? 이 더위에? 너 그러다 죽어."

"그럼 어떻게 해. 네가 같이 가 줄래? 네가 있으면 더위는 해결되겠네."

"나 지박령이라 이 집에서 못 나가. 참, 올 때 팝콘도 사 와."

나는 신발을 신다가 귀신을 흘겨봤다.

"그게 지금 할 말이냐…. 팝콘이 그렇게 맛있었니?"

"말했잖아. 아카시아꽃 닮아서 좋다고. 예전에 마을 회관 옆에 아카시아 나무가 있었어. 딸애 죽고 나서, 남편이 장례를 안 치러 주는 거야. 그래서 그 나무 아래에 묻었어. 그 나무 근처 지날 때마다 떨어지는 꽃잎이 어찌나 애틋하던지. 내 아기 혼 날아다니는 것 같아서."

"… 이럴 때 그런 얘기는 반칙 아니니. 사 올게. 있으면."

나는 집을 나섰다. 현관 밖으로 한 걸음 내딛자마자 귀신이 선사했던 시원함은 자취를 감췄다. 코 안으로 훅 밀려 들어오는 더운 공기는 내 배 속이 텅 비어 있음을 새삼 깨닫게 했다. 읍내에 도착만 하면 편의점에서 휴대폰을 충전할 수 있다. 그럼 계좌에 있는 돈으로 결제를 할 수 있으니 라면이든 참치든 팝콘이든 마음껏 살 수 있을 것이다. 나는 배고픔을 의식하지 않으려고 꾸역꾸역 뭐든 생각하려 했다. 하지만 샛길을 걸어 나와 큰 길가에 섰을 때는 배고프고 덥다는 두 가지 생각만이 내 사고를 지배하고 있었다.

'더워서 죽은 귀신은 어떤 모양새인지 물어볼걸.'

나는 길가에 쪼그려 앉아 멍하니 길 끝을 바라봤다. 도저히 저기까지 걸어갈 자신이 없었다. 그때 길 끝에서 택시 한 대가 달려오더니, 매캐한 흙먼지를 일으키며 내 옆에 멈췄다. 이내 운전석의 창문이 스르륵 내려갔다.

"손님. 살아 있지요? 타요."

아홉수 가위

할머니 집에 왔던 첫날, 나를 태우고 왔던 택시 기사가 창 안에서 손짓을 했다. 무뚝뚝한 기사가 자비로운 부처님으로 보였다. 나는 얼른 뒷좌석의 문을 열고 택시에 탔다. 뒷좌석에는 까만 비닐봉지가 뒹굴고 있었다.

"거기 토마토랑 김밥 좀 있으니 드쇼."

나는 비닐봉지 안에서 토마토를 꺼내 베어 물었다. 이유 없는 친절에 대한 의심이 베어 문 토마토 즙과 함께 손등으로 흘러내렸다.

"손님. 저 집 귀신이랑 무슨 관계예요? 그냥 폐가 체험하러 온 사람인가 싶었는데 사람을 그런 가위에 눌리게 하고."
"가위요?"
"내가 말했잖아요. 저 집에 귀신 있다고. 예전에, 저 집에 살던 할머니 돌아가시고 집이 매물로 나왔단 말이죠. 그게 벌써 한 20년 전인가. 내가 사서 축사나 만들려고 했지. 그랬더니 그날 밤부터 잠만 자면 가위에 눌리는 거예요. 머리를 푼 여자가 나와서 집에서 나가라고 소리를 지르는데 미치겠더라고. 거기 시달리다가 그 집 사는 거 포기했죠. 사람들하고 이야기를 해 보니깐 나만 그런 일을 겪은 게 아니야. 그 뒤로 사람들이 그 집 근처에 얼씬도 안 하게 됐지."

친척들이 할머니의 유언을 지키고 있던 이유가 이거였다. 귀신은 의외로 능력자였다.

"그런데 한 사흘 전부터 또 가위눌림이 시작되더

라고. 그 귀신이 나와서는 사람 좀 구해 달라고, 우리 애 굶어 죽는다고 우는 거야. 우는 게 더 무섭더라. 오죽하면 내가 토마토 싣고 다니면서 이 앞을 왔다 갔다 했겠어요? 가만. 귀신이 말했던 '우리 애'가 손님이 아니면 어쩌지? 손님. 그 집에 손님만 있는 거 맞죠?"

한층 짙어졌던 귀신의 다크서클이 떠올랐다. 나는 입이 꽉 차도록 토마토를 밀어 넣으며 어떻게든 무사히 팝콘을 사서 돌아가리라, 마음먹었다.

읍내에 도착한 나는 곧장 편의점으로 향했다. 휴대폰 충전은 금세 이루어졌다. 까맣던 화면이 밝아짐과 동시에, 부재중 전화를 알리는 메시지 창이 쉼 없이 밀려 올라왔다. 은경이었다. 편의점 안을 돌면서 햇반과 라면, 통조림을 샀다. 팝콘은 진열대에 다섯 봉지가 있길래 모두 집어 들었다. 카트를 채우는 동안 손에 쥔 휴대폰이 세 번 길게 울렸다가 끊겼다. 계산대 앞에 섰을 때 또 한 번 휴대폰이 울렸다. 계산을 위해 결제 앱을 실행시키려면 전화를 끊거나 받아야 했다. 빨강과 초록 사이에서 망설이다 초록을 눌렀다.

'미련 하나라도 줄이자. 그래야 좀 덜 흉한 귀신이 되겠지.'

야, 너! 은경의 목소리가 수화기 너머에서 폭탄처럼 터졌다. 너 왜 전화 안 받아. 고시원에 남긴 편지는 뭐야. 터져 나오던 말들은, 내가 아무 대답도 하지 않자 조금씩 잦아들었다.

아홉수 가위

「너 때문에 내가 얼마나….」

"계속 내 탓 할 거면, 끊어."

「뭐?」

침묵. 폭탄은 완전히 꺼졌다. 계산 안 하세요? 직
원이 재촉했다. 나는 전화를 끊고, 앱을 켰다. 계산
을 마치고 봉지를 들고 나오는데, 또 전화가 걸려
왔다. 이번엔 망설임 없이 받았다.

「… 미안해. 너 생일날에 내가 호구라고 해서 화
났지. 방금 전에도 내가 나빴어.」

"알면 됐어. 나중에 통화하자. 나 지금 짐 무거
워."

「너한테 알려 줄 거 있어. 네 돈 들고 튄 새끼, 걔
가 나한테 연락했어. 제발 돈 갚게 해 달라고. 이
자까지 줄 테니간 제발 귀신 좀 그만 보이게 해
달라고 벌벌 떨면서 울더라. 무슨 말인지 모르겠
는데, 어쨌든 네 돈 찾았다고. 그거 알려 주려고
전화 계속 한 거야.」

"… 귀신?"

「눈만 감으면 웬 여자 귀신이 피눈물을 흘리면서
내 돈 내놔, 라면서 얼굴을 할퀴려고 한대. 고작
귀신 보고 떨면서 기어 올 배짱으로 사기를 치니,
걔는.」

나는 전화를 끊고 마을 입구로 발걸음을 옮겼다.
그곳에 아카시아 나무는 없었다. 택시 정류장 옆에
꽃가게가 있어서 들어갔다. 허리가 굽은 할머니는
내 질문에 고개를 끄덕였다.

"아카시아 나무? 있죠. 모종 사시게? 종류가 많은데 뭐로 드릴까."

"혹시 여기 마을 입구에 있던 아카시아 나무요. 그거 무슨 종이었는지 아세요?"

"알지. 꽃이 참 예뻤는데, 도로 넓힌다고 홀랑 베어 버렸죠. 사람들이 참 야박해."

할머니는 가게 안에서 작은 화분 하나를 들고 나왔다. 나는 둥그런 잎을 단, 줄기가 위로 곧게 뻗은 아카시아 모종을 봉지 맨 위에 조심스럽게 얹었다.

이젠 돌아갈 시간이다.

*

비디오를 틀었다. 팝콘 봉지를 뜯고 맥주 캔을 땄다. 귀신은 화면 안으로 들어가기라도 할 듯 텔레비전에 바짝 붙어 앉아 영화를 봤다. 파도 소리가 사라지고, 여자 둘은 수다를 떨었고, 사람이 죽었다. 귀신은 계속 팝콘을 집어 먹으며 혼잣말을 중얼거렸다.

"죽이긴 왜 죽여. 저 생때같은 젊은 애들을. 무슨 귀신이 저렇게 근본이 없어."

나는 팝콘 봉지를 봤다. 귀신이 집어 간 팝콘은 곧 되돌아와 비었던 자리를 채웠다. 나는 돌아온 팝콘을 하나 집어 들었다.

"나, 죽지 말까?"

귀신의 고개가 내 쪽으로 향했다. 귀신은 이 집에

아홉수 가위

서 만난 후로 가장 활짝, 귀신이라곤 생각할 수 없을 만큼 맑게 웃었다.

　"잘 생각했어. 너 빨리 살던 데로 돌아가. 거기서 돈 많이 벌어 가지고, 이 집 좀 깔끔하게 수선해 주라. 혹시 아니. 그럼 내 머리카락도 단정하게 정리될지."

　"그래. 팝콘도 방에 가득 쌓아 줄게."

　화면 안의 사다코가 우물 속에서 기어 나왔다. 귀신은 그 장면을 보며 낄낄 웃었고, 나는 들고 있던 팝콘을 입에 넣었다. 여전히 나는 사다코가 부럽다. 그러나 더 이상 귀신이 되고 싶진 않다. 집 옆에 심은 아카시아 모종은 10년쯤 지나면 꽃을 피울 거다. 그때까지 열심히 돈을 벌고 싶어졌다. 돈을 벌어서 조금씩 이 집을 고치고, 우물을 청소할 사람도 부르는 거다. 매년 생일이 되면 아카시아꽃이 날리는 대청마루에 귀신과 함께 앉아 팝콘을 먹으리라.

　아홉수다. 지옥처럼 괴로운 일이 가득해 아홉수라면, 인생의 대부분이 아홉수다. 그러니 이 스물아홉의 여름도 언젠가 평범하게 지나간 과거의 일부가 되리라. 조금만 더 견디자. 견뎌야 할 일만 견디는 날을 보내자. 나는 팝콘을 입에 넣었다. 팝콘에서는 서늘한 위로의 맛이 났다.

어둑시니 이끄는 밤

지금보다는 조금 옛날에 말이야. 한 소년이 있었어. 소년은 세상이 온통 새까맣던 날 태어났어. 그렇게까지 예쁘고 완벽한 깜장은 존재하지 않을 것 같은 밤이었지. 그 밤에 잠들어 있던 어둠은 소년의 울음소리에 깨어났어. 소년을 사랑할 수밖에 없었던 어둠은 소년이 나쁜 것을 보지 못하게 해 주겠노라 마음먹었어. 그래서 소년의 밤을 어둠으로 감쌌지. 예쁘고도 완벽한 깜장을 선물해 주려고. 그러니깐 어둠을 무서워하지 마. 소년이 어둠을 무서워하면, 그 마음이 어둠 안의 귀신을 불러낼지도 몰라. 힘내. 한 발자국만 더 걷자.

*

공사가 시작되었다. 학교로 이어진 가파르고 좁은 비탈길 아래에 있는 작은 가게는 오랫동안 비워진 채였다. 때때로 사람들은 가게 앞에 상자를 쌓아

어둑시니 이끄는 밤

놓고 그릇이나 양말, 야채를 팔았다. 하지만 그중 누구도 낡은 이발소 간판을 떼어 내지 않았다.

내가 태어나 자란 골목은 버스 정류장에서 위로 뻗은 큰길에서 뻗어 난 잔가지 같은 곳이다. 이 안에 무언가 있을까 싶게 좁은 골목은 한쪽이 약간 찌그러진 네모 모양으로, 시작점에서 세 꼭짓점을 지나면 다시 버스 정류장으로 돌아가게 이어져 있다. 골목의 시작점부터 작은 가게가 있는 첫 번째 꼭짓점까지는 양옆으로 빌라가 늘어서 있지만, 첫 번째 꼭짓점을 기준으로 오른쪽 아래 골목부터는 쓰레기와 잡목이 굴러다닐 뿐이었다. 트럭 한 대가 간신히 지나갈 정도로 마주 서 있는 빌라에 사는 사람들은 바깥의 시선을 막기 위해 창문에 선팅지를 바르거나 커튼을 쳤다. 골목에는 가로등이 딱 하나 있는데 망가진 지 반년이 지나도록 수리될 기미가 없다.

이 골목에는 저녁 9시가 넘어 밖을 돌아다니면 살해당한다는 괴담이 떠돈다. 10년 전부터 저녁 9시가 넘으면 주변이 괴이하다 싶게 고요해졌고, 단 두 개뿐인 가게는 문을 닫았다. 늦게 집에 돌아오는 사람들도 골목 안으로 접어들면 입을 꼭 다물고 어둠 속으로 흡수되듯 사라졌다. 한밤중에 첫 번째 꼭짓점에 있는 작은 가게 앞에 서서 골목을 바라보고 있노라면, 골목은 곧 가라앉을 섬처럼 보였다.

하지만 이번에는 달랐다. 이발소 간판이 사라졌다. 작은 가게 앞에 공사용 자재가 쌓였고, 서너 명의 사람들이 목장갑을 끼고 돌아다녔다. 사람들은 공사 때문에 골목이 시끄러워졌다고 불평을 하면서도 무엇을 위한 공사인지 궁금해했다. 사람들은 감독 할아버지 주변으로 모여들었다.

"편의점이 들어온대. 송 씨 아들이 맡아서 운영한다던데."

"송 씨네 아들 기억 안 나? 대학 엄청 좋은데 갔었지. 송 씨가 동네방네 자랑을 얼마나 했었는데. 그게 벌써 10년 전이네. 걔가 고등학교 안 가고 검정고시 본다고 학교 무단으로 막 빠지고 그랬어. 부모 속 좀 썩였지. 그래도 수능 1등급 나왔으니 효자다, 이랬었지."

"걔 이름이 정우였나. 애가 특이했어. 이해 안 가는 말을 막 중얼거리고 다녔던 게 기억나네. 무슨 시험 준비 한다고 들었던 것 같은데. 합격? 못 했으니깐 편의점 한다는 거 아닌가? 아, 자세히는 못 물어보지. 송 씨 속도 생각을 해 줘야 할 거 아니야."

감독 할아버지는 빌라 지하에 혼자 살고 있다. 골목에서 제일 오래 살았고, 골목 안에서 일어났던 모든 일을 기억했다. 본인의 말에 의하면 할아버지는 옛날에 영화감독이었는데 필름이 너무 비싸서 영화를 딱 한 편밖에 못 찍었고, 그래서 필름 대신 자기 머리로 주변의 모든 것을 찍기로 했단다. 감독 할아버지는 낮이나 밤이나 소주 한 병을 들고 골목의 끝에서 끝까지 돌아다니며 어디든 주저앉아 술을 마셨다. 사람들은 평소엔 감독 할아버지를 유령처럼 대하다가 진위를 확인하고 싶은 소문이 돌면 할아버지를 찾았다. 그럴 때면 정육점 앞에 놓인 작은 평상은 만남의 광장이 되었다. 내가 고기를 사러 정육점에 갔을 때에도 할아버지는 평상에 앉아 소주를 마시며, 소문 보따리를 풀어내고 있었다.

"희재 심부름 왔냐? 겨울방학이야?"

나를 본 감독 할아버지가 이야기를 멈추고 아는 척을 했다. 감독 할아버지는 골목에서 내 이름을 부르는 유일한 어른이다. 나는 고개를 끄덕이고, 가게 안으로 들어갔다. 쇼케이스 안쪽에 서 있는 정육점 주인과 고기를 사고 있던 아주머니 두 명의 시선이 일순간 내게로 쏠렸다. 그 시선에 밀린 나는 문 쪽에 바짝 붙어 섰다.

"어르신은 참 비위도 좋아요. 쟤한테 말을 다 걸고."

문 밖에서 사람들의 목소리가 새어 들어왔다.

"쟤 때문에 범인 못 잡은 거 아냐. 집값 똥값 되고. 무서워서 아직도 밤에 못 나가고."

"김 씨가 제발 말하라고 쟤 앞에 엎드려서 빌었던 거 아직도 생각나. 나라도 내 새끼 그렇게 보냈는데, 범인도 못 잡는다고 하면 열불이 터지지."

서늘한 겨울 공기에 뒤섞인 말들이 나를 조금씩 찌그러뜨렸다.

"그때 희재 저 애, 고작 여섯 살이었어. 다들 왜 그리 박정하게 굴어. 쟤가 잘못한 게 뭐가 있어. 그 썩을 놈을 욕해야지."

감독 할아버지의 말이 찌그러진 귀퉁이를 조금 잡아 펴 주었다. 내 차례가 됐다. 미역국용 소고기만 5000원어치를 달라고 하고 돈을 냈다. 정육점 주인은 내가 내민 지폐를 손가락 끝으로 집었다. 비닐봉지를 들고 가게를 나왔다. 감독 할아버지 주변에 있던 사람들은 그사이 사라지고 없었다. 감독 할아버지가 내게 들고 있던 소주잔을 내밀었다.

　　"마실래? 한잔 쭉 들이켜면 따뜻해진다."
　　"술 맛없어서 싫어요."
　　"그럼 이거 가져가라."

　　나는 감독 할아버지가 내민 새우깡을 받아 들었다. 집에 도착해 부엌 식탁에 비닐봉지를 놓았다. 탁, 탁, 칼이 도마를 두드리는 소리가 리드미컬하게 집 안에 울렸다.

　　"엄마. 고기 사 왔어요."

　　대답은 없었다. 소리가 멈추고, 엄마가 뒤돌아섰다. 엄마는 내 옆으로 팔을 뻗어 식탁 위 비닐봉지를 집어 들었다. 도마 소리가 다시 시작되었고, 나는 내 방에 들어가 이불을 뒤집어쓰고 벽에 기대어 앉았다. 방은 추웠다. 밖과 별반 차이 없는 추위가 이불 틈을 파고 들어왔다. 집은 언제나 춥다. 겨울에도 봄에도, 한여름에도. 나는 눈을 감고 기억 속의 온기를 끄집어냈다. 내 등을 쓸어내리던 손바닥의 체온, 이야기를 해 주던 목소리와 숨결. 오늘의 온기는 여기까지. 이젠 끄집어낼 기억은 많이 남아 있지 않다. 나와 형이 함께한 시간은 6년뿐이고 그때 나는 고작

여섯 살이었기에 내 기억 속 온기 창고의 재고량은 원체 넉넉하지가 않다. 그걸 10년간 야금야금 꺼내어 썼으니 바닥날 만도 하다. 그러니깐 아껴야 한다. 아껴야 하지만, 매일 하나라도 꺼내 덮지 않으면 잊어버릴까 봐 무섭기도 하다. 나는 온기를 덮고, 형을 떠올렸다. 해 질 녘의 그림자처럼 길쭉하니 말랐던 몸과, 귀 아래 검은 사마귀와, 조금 휘어져 있던 새끼손가락의 마디를 되새긴다. 처음에는 뚜렷하게 떠올랐던 것들이 점점 희미해지고 있다. 온기를 모두 꺼내어 쓰면, 더 이상 덮을 것이 없어지면, 형이 까만 어둠이 되어 버릴지도 모른다.

아니면 이미 되었을지도.

온기는 잠을 몰고 왔다. 잠시 졸았다 싶었는데 깨어나니 방 안이 어두웠다. 방바닥을 손으로 더듬어 벽을 잡고 일어나 불을 켰다. 저녁 11시였다. 배가 고팠다. 방 밖으로 나가니 거실도 주방도 불이 꺼진 채라 온 집 안이 어두웠다. 아빠와 엄마는 이미 잠든 모양이었다. 부모님이 잠든 후에는 불을 켜면 안 된다. 냄새를 풍겨서도 안 된다. 아빠는 빛에도 냄새에도 소리에도 민감하고 잠이 들었을 때에는 훨씬 그러하며, 자다가 깨면 폭력적으로 변한다. 집 한구석에서 버섯처럼 가만히 자라야 할 나 때문에 깬다면 더욱 화를 낼 거다. 나를 집에서 쫓아낼지도 모른다.

'아직은 안 돼. 돈이 안 모였는걸.'

방 한쪽에 놓아둔 손전등을 집어 들었다. 건전지

가 닳았는지 켜지지 않았다. 이럴 때면 휴대폰을 가지고 싶어진다. 어쩔 수 없이 다시 손으로 바닥을 더듬어 냉장고 앞까지 갔다. 냉장고를 열자 희미한 빛이 눈앞을 밝혔다. 냉장고 안에는 밑반찬 몇 가지가 있을 뿐 바로 먹을 수 있는 것은 없었다. 가스레인지 위에 놓인 냄비 뚜껑을 열어 보았다. 미역국이 바닥에 들러붙어 있었다. 다시 발밑을 더듬으며 방으로 돌아왔다. 이불을 뒤집어쓰고 감독 할아버지가 준 새우깡을 먹었다. 내일은 꼭 아르바이트 자리를 찾고 싶다. 방학 때마다 아르바이트를 구하려고 했지만 한 번도 성공한 적이 없다. 중학생을 고용해 주는 곳은 많지 않다. 그 중학생이 이희재라면 더욱 그렇다. 이 골목만이 아니라 버스 정류장 건너 상가에까지 내 이름은 알려져 있다. 오늘 면접을 보러 간 가게의 주인도 내 이름을 듣자마자 싸늘한 눈빛으로 나를 위아래로 훑어보고는 고개를 저었다. 작년에도, 재작년에도 그랬다. 그래도 일할 곳을 찾아야만 한다. 이 집을, 이 마을을 떠나기 위해서는 돈이 필요하다. 나는 이곳을 떠나고 싶다. 떠나야만 한다.

　늘 내 뒤를 쫓아다니는 그것으로부터 벗어나기 위해.

*

　그것. 어둑시니는 그날 이후 내 그림자가 되어 달라붙었다.

어둑시니 이끄는 밤

그날, 10년 전의 겨울.

이발소가 있던 꼭짓점과 이어진 비탈길을 오르면 고등학교가 나온다. 당시에 학교는 교문을 잠그지 않고, 주민들에게 운동장을 개방했다. 나는 밤마다 형과 함께 골목을 한 바퀴 돈 다음 비탈길을 올라 학교에 갔다. 운동장 왼쪽에는 벤치가 있어서, 그곳에 둘이 나란히 앉아 주스를 마셨다. 형은 종종 그 자리에서 내게 이야기를 들려주었다. 어둠이 사랑한 소년과 어둑시니의 이야기였다. 나는 형이 해 주는 이야기가 좋았다. 형이 좋아서, 형이 해 주는 모든 것이 좋았다. 형이 있어서, 나는 집의 침묵에 짓눌리지 않고 살아남을 수 있었다. 형이 나를 길렀다.

형은 나보다 열 살 더 많았다. 그렇다는 것은, 형이 나보다 먼저 부모님을 견디어 냈다는 의미였다. 울어도 달래 주지 않고, 웃으면 왜 웃냐고 정색을 하고, 잘해도 칭찬해 주지 않고, 못해도 꾸짖지 않는 사람을 부모로 둔다는 건 아이의 삶이 고달파진다는 뜻이다. 밖에서 보기에는 그저 평범한 가족이었지만, 고요한 집 한쪽에서 나와 형은 산다기보다 견디는 날들을 보내고 있었다.

"소년이 어둠을 무서워하는데 왜 어둠 안의 귀신이 불려 나와?"

"그야 슬프니깐. 어둠은 소년을 사랑해서 지켜 주려고 하는데 소년이 어둠을 무서워하면 슬프지 않겠어?"

"하지만 소년이 원하지 않잖아. 소년은 어둠이

따라다니는 걸 싫어할 수도 있잖아. 나도 어두운 건 싫단 말이야."

"맞는 말이야. 내 동생, 천잰데? 소년은 잘못한 게 없어. 그러니깐 두려움 없이 귀신을 마주 볼 수 있었지. 마주 보아야만 했어. 왜냐면, 그 귀신은…."

어둑시니거든.

어둑시니가 내게 달라붙은 날. 그날은 평소와 조금 달랐다. 나는 화를 냈다. 형이 내게 혼자서 골목을 돌고 오라고 했기 때문이었다. 형은 학교 운동장에서 기다린다고 했다. 나 혼자 골목을 도는 것은 형이 한 달에 한 번씩 하는 테스트였다. 그때까지 한 번도 통과한 적 없는 테스트. 나는 늘 골목 어딘가에서 주저앉았고 어둠 속에 얼마간 웅크리고 있으면 형이 나를 찾으러 와서는 마저 돌고 오라고 했다. 나는 싫다고, 무섭다고 했지만 결국 혼자 발걸음을 옮겼다. 이발소 앞에서 형과 헤어져 걸었다. 발아래 밟히는 돌의 촉감과, 골목의 구역마다 다른 냄새와, 손가락 끝에 느껴지는 담벼락의 촉감에 신경을 곤두세우며 걸었다. 두 번째 꼭짓점을 돌고 버스 정류장이 가까워지자 어둠이 바스러졌다. 버스 정류장까지 한 번도 넘어지지 않고 온 것은 처음이었다. 자신감이 솟아올라 단번에 기분이 좋아졌다. 버스 정류장에서 골목길 초입까지는 가로등이 있었고, 골목길 초입에서 작은 가게 앞까지는 예전에도 혼자 끝까지 걸어가는 데 몇 번인가 성공했었다. 빨리 운동장으로 가야지 싶었다. 형 앞에 짠 나타나

"성공!"이라고 외칠 생각에 신이 났다. 비탈길을 올라가는 걸음이, 전혀 힘들지 않았다.

유독 어두운 밤이었다. 구름이 짙게 껴서 희미한 별빛조차 땅에 닿지 않는 그런 밤. 빛이 없어 그림자조차 생기지 않는 그런 밤. 비탈길을 모두 올라 교문 안으로 들어갔다. 운동화 바닥에 와 닿는 촉감이 흙과 작은 돌이 뒤섞인 버석함에서 푹 파이는 모래의 부드러움으로 바뀌었다. 나는 모래의 촉감을 느끼며 몇 발자국을 걷다가 멈췄다. 형이 바로 내게로 달려오지 않다니 이상했다. 녹슨 못을 코 아래 들이민 듯 고약한 냄새가 났고, 팔에 난 털이 삐죽이 곤두섰다. 나는 벤치 쪽으로 천천히 다가갔다. 형, 이라고 부르고 싶었다. 하지만 목소리를 내면 그렇지 않아도 생경한 감각이 아예 사라질까 봐 아랫입술을 꽉 깨물고 참았다. 그리고 들었다. 내 것 아닌 누군가의 발자국 소리와 바람 소리에 뒤섞인 작은 비명 소리를. 그건 분명 형의 목소리였다.

"형, 형! 형. 어디 있어!"

나는 소리쳤다. 내 것 아닌 발자국 소리는 점점 내게로 가까이 다가왔다. 바람이 강하게 불었다. 제자리에 서 있기 힘들 정도로 세찬 바람이 불더니 눈앞이 조금 밝아졌다. 아마도 달빛이 비추었던 것이리라. 모래바람 때문에 가느다랗게 눈을 뜬 내 앞에 한 남자가 서 있었다. 남자의 팔 부분만이 또렷하게 보였다. 장갑을 끼고, 긴 끈을 들고 있는 손과 핏줄이 돋아난 팔뚝. 운동장에 들어섰을 때부터 맡았던 좋지 않은 냄새는 남자의 몸에서 풍기고 있었다. 나는 그 냄새에 짓눌려 고개를 들지 못했다. 앞은 다시 뿌옇게 어두워졌고, 내 목덜미에 차갑고도 미끈한 감촉이 닿았다.

"꼬마야. 몇 살이니?"

내가 마지막으로 본 것은 남자의 팔목에 새겨진 모래시계 그림이었다. 남자가 엄지로 내 목 한가운데를 짓누르는 순간, 떠들썩한 사람들의 목소리가 들렸다. "경비 아저씨. 내가 분명히 비명 소리를 들었다고." "어디요?" "저기. 저 남자 뭐야!" "도망가잖아. 경찰 불러, 경찰!" 남자는 도망갔고, 사람들은 우왕좌왕했다. 그중 한 명이 나를 들어 안았다. 그는 나를 경찰서로 데려갔다. 불빛이 선명한 경찰서 안에 들어서자 모든 것이 선명해졌다.

형은 죽었다. 살해당했다.

그날 밤, 고등학교 운동장에서는 살해당한 시체 두 구가 발견되었다. 사망 원인은 경부 압박, 즉 목졸림에 의한 질식으로 판명되었다. 피해자 두 명은 모두 그 학교에 다니고 있던 학생이었고, 근처에서 발생했던 다른 살인 사건도 동일범의 소행일 수 있다는 수사 결과가 발표되었다. 사건 현장에 목격자가 있었다는 소문은 금세 퍼져 나갔다. 좁은 골목은 들썩였고 고요하던 집은 소란스러워졌다. 기자들은 나를 인터뷰하기를 원했다. 사건 현장에서 살아남은 목격자이자 피해자의 동생. 그게 나의 포지션이었다.

어둑시니 이끄는 밤

처음에 사람들은 내게 친절했다. 친절하게 잔혹한 질문을 했다. "형이 죽는 걸 봤지? 죽인 사람 얼굴도 봤니? 여기서 눈이랑 코랑 어땠는지 골라 볼까?" 나는 못 봤다고 했다. 경찰은 나를 심리 상담사에게 데려갔고, 상담사는 내가 어린 나이에 너무 충격적인 장면을 본 탓에 뇌에서 정보를 '보지 못했다'고 처리한 것이라 말했다. 아니라고, 진짜 보지 못했다고 했지만 누구도 믿어 주지 않았다. 마을 사람들은 범인이 잡히지 않아 불안해서 못 살겠다며 한탄을 했고, 집값이 떨어진다고 불평을 했다. 형과 함께 살해당한 학생의 부모님이 나를 찾아와 제발 무엇을 봤는지 말해 달라고 울부짖었다. 그들과 달리, 아버지와 어머니는 그저 고요했다. 아버지는 미간을 찌푸리며 지겨워, 라고 중얼거렸다.

뉴스에 더 이상 사건이 보도되지 않게 되자 사람들은 더 이상 나를 친절하게 대하지 않았다. 골목의 사람들은 모든 것이 내 탓이라고 했다. 범인을 잡지 못한 것도, 집값이 떨어진 것도, 분위기가 흉흉해진 것도, 운동장이 폐쇄된 것도, 한밤중에 고양이가 우는 것도, 이발소가 문을 닫은 것도 모두 내 탓이라고. 아버지와 어머니에 대한 소문도 돌았다. 자식을 잃은 부모가 기분 나쁠 정도로 침착하니 뭔가 수상하다고, 그들이 살인범이 아니냐고들 했다. "그 집 부부, 애초에 좀 이상하잖아. 동네 사람들하고 인사한 번 하는 걸 못 봤어." "사업 크게 하다가 망했다며. 그래서 태도가 건방진 건가 했는데 사실은 사이코패스라 그런 거 아냐?" 고요한 집을 못마땅하게 여기던 사람들이 소문에 살을 붙였다. 분명 눈앞에서 범인을 봤음에도 동생이란 아이가 진술을 하지 않는 이유도 그것이 아니냐고, 살이 붙은 소문은 더욱 구체적으로 변해 갔다. 결국 소문은 부모가 형을 죽였고 목격자인 동생은 부모의 범죄를 덮으려 했다는 내용으로 최종 완성되었고, 그 형의 원혼이 밤마다 골목을 헤매며 사람을 죽음으로 끌고 간다는 괴담을 탄생시켰으며, 내가 초등학교에 들어간 후에는 "쟤가 개야."로 압축되었다.

아무리 시간이 지나도 누구도 내 말을 들어 주지 않았다. 모래시계와 냄새에 대한 얘기를. 그래서 나는 그날부터 내게 달라붙은 그림자에 대해 누구에게도 털어놓을 수 없었다. 내 그림자 속에 숨어 스멀스멀 모습을 드러내는, 어둑시니를. 종종 내게 말을 걸려는 듯 등 뒤에서 머리 위로 길게 몸을 뻗는 그것. 늘 작게 비명을 지르고 있는 그것은, 어둑시니여야 했다.

다른 무엇이어서는 안 되었다.

*

이발소는 편의점이 되었다. 영업시간은 새벽 2시까지. 저녁 9시가 되면 어둠 아래로 가라앉던 섬에 등대가 생긴 듯 골목이 밝아졌다. "진짜네. 개야, 개. 송정우." "멀쩡한 애가 왜 취직을 안 하고, 저기서 편의점을 해? 자기 아버지한테 세나 낼까 몰라." "여전히 음침하더라." 골목 사람들은 편의점에서 과자 한 봉지나 담배 한 갑을 사 들고 나와서는 두세 명씩 모여 수군거렸다.

수군거림의 방향을 바꾼 사람은 감독 할아버지였다. 편의점 앞에 하나 놓인 탁자는 감독 할아버지의 지정석이 되었다. 송정우는 소주 한 병을 살 뿐인 할아버지를 쫓아내지 않았고, 할아버지는 골목 이곳저곳에서 송정우 옹호론을 펼쳤다. "젊은 애가 무슨 일이라도 해 보려고 하는 게 장하지, 안 그래?" "내 술 상대도 해 주더라니깐. 애가 많이 둥글어졌어." 감독 할아버지의 적극적인 옹호 아래 편의점은 사람들의 예상보다 빨리 골목에 스며들었다. 편의점이 한가해지고 수군거림이 잦아들 무렵 편의점 문에 '저녁 아르바이트생 모집'이라고 적힌 종이가 붙었다.

"이희재. 열여섯 살? 좋은 나이다."

송정우는 둥그런 남자였다. 몸도 얼굴도 말투도 둥글었다. 이력서에 적힌 내 이름을 보고도 여전히 둥글어서, 나는 송정우가 좀 좋아졌다.

"하나도 안 좋은데요."
"왜? 숫자 6은 완전수잖아."
"완전수?"
"약수 중에 자기 자신을 제외한 약수를 모두 더하면, 자기 자신이 되는 수."

송정우는 내 이력서 뒤에 숫자를 썼다. 1, 2, 3, 6.

"봐. 이게 6의 약수. 여기서 1, 2, 3을 더하면 다시 6이 되잖아. 딱 네 개 있어."

나는 송정우가 쓴 숫자를 들여다봤다. 6, 28, 496, 8128.

"노아의 방주에 여덟 명의 사람이 타고 있었대. 영국의 신학자 Alcain이 그랬다더라. 8이란 숫자는 불완전한데, 불완전한 수가 방주에 탔기 때문에 사람은 불완전하게 태어나게 되었다고. 여섯 명이 방주에 탔으면 지금의 인류는 더 완벽해졌을 거라나. 6은 완벽한 숫자니깐."

"8은 완벽하지 않아요?"

"그런가 봐."

송정우는 카운터 왼쪽에 놓인 찐빵 기계에서 찐빵을 하나 꺼내서는 내게 내밀었다. 받아 든 찐빵은 몽글몽글, 따뜻했다.

"내 생각에 말이야. 8은 시작과 끝이 계속해서 이어지는 숫자야. 뫼비우스의 띠 알아? 그 띠도 8을 닮았잖아. 출구가 없이 빙빙 돌아야 하는 거지. 그래서 옛날 사람들은 8을 마법의 숫자라고 했다더라."

"마법의 숫자면, 나는 8이 더 좋은데요."

내 말에 송정우는 크게 웃었다. 나는 채용되었다. 오후 6시부터 저녁 10시까지 일하기로 했다. 집으로 되돌아오는 길에 석양이 드리워져 긴 그림자를 만들어 냈다. 그림자 안에서 어둑시니가 꿈틀거렸다. 편의점이 생긴 후, 밤에도 빛이 생겼다. 어둑시니는 모습을 드러내지 않은 채 비명만을 지르게 되었다. 비명 소리만이 좀 더 커졌다.

어둑시니 이끄는 밤

'나는 더 빛이 많은 곳으로 갈 거야. 돈을 모아서 밤에도 한낮처럼 밝은 곳으로, 무엇이든 보이는 곳으로 갈 거라고.'

그러니깐 비명을 그만 질러, 제발. 듣지 않을 거야. 네가 무어라고 말하는지, 듣지 않을 거니깐. 나는 그림자 속에 숨은 어둑시니를 향해 속삭였다.

*

소년의 공포가 깨운 귀신의 이름이 뭐라고 했지? 그래. 어둑시니야. 그건 빛 한 점 없는 어둠 안에서 그림자처럼 피어올라 소년의 앞에 섰어. 소년은 비명을 질렀지. 너울너울 흔들리던 어둑시니의 몸이 쑤욱 커졌어. 소년은 더 크게 비명을 질렀지. 소년의 비명이 커질수록 어둑시니의 몸도 점점 커졌지. 하늘을 뚫을 듯이 커진 어둑시니가 소년을 집어삼킬 듯이, 소년을 향해 몸을 숙였어.

어둑시니가 왜 커졌는지 알겠지? 그래. 소년이 무서워서. 어둑시니는 말이야. 사람의 공포를 먹고 커지는 귀신이거든. 그러니깐 무서워하지 마. 더 무섭다고? 아니야. 무서워할 필요가 없다니깐. 어둠은 소년을 사랑해.

알았지? 잊어버리면 안 돼.

*

"너, 걔지?"

삼각김밥의 바코드를 찍었다. 처음에 누군지도 모르는 사람이 카운터 너머에서 그렇게 말했을 때는 흠칫 놀라 손에 든 것을 떨어뜨렸다. 하지만 곧 익숙해졌다. 편의점에서 일한 지 일주일째, 하루에 두세 명은 내게 같은 말을 했다. 그 말을 하려고 일부러 편의점에 찾아오는 것도 같았다.

"거, 계산 다 했으면 좀 비키쇼."

감독 할아버지가 카운터에 소주 두 병을 올려놓았다.

"다 큰 어른이 애한테 시비나 걸고 말이지. 못났네."

남자는 삼각김밥을 집어 들고 할아버지를 노려봤다.

"어르신. 얘가 누군지 알고 그래요? 저요. 김수혁 친구예요. 10년 전에 살해당한 김수혁! 할아버지가 알아요? 이 자식 때문에 내 친구 죽인 놈을 못 잡고 있다고!"

"술을 처먹으려면 좀 곱게 처드쇼. 내가 올해 일흔여섯인데 말이야. 이 나이쯤 먹으니깐 딱 분간이 가더이다. 진짜 슬퍼하는 놈이랑, 슬픔을 핑계로 지 화풀이하는 놈이랑."

남자는 거친 숨을 몰아쉬고는 편의점 밖으로 사라졌다. 나는 소주의 바코드를 찍고 찜기에서 찐빵 하나를 꺼내 소주와 함께 비닐봉지에 넣었다.

어둑시니 이끄는 밤

"찐빵은 안 샀다, 나."

"서비스요."

"알바생이 손도 크다. 정우는 어디 갔어?"

"고양이 찾으려요. 요즘 새벽마다 길고양이가 운 대요. 어제는 뒷문에 쌓아 둔 상자 다 파헤쳐 놨 대요. 아무래도 발정 난 고양이 같다고, 잡아서 중성화 시켜 준다고. 형은 왜 찾으세요?"

"오늘 저녁에 우리 집에서 같이 술 한잔하기로 했거든. 집에 손님 오는 게 얼마 만인지 모르겠 어. 정우 그놈, 뭔 문신도 있고 해서 영 별로였는 데 겪어 보니 착해. 노인네 옛날이야기도 다 들어 주고."

"형한테 문신이 있어요?"

"손목에 조그만 거 있던데. 하려면 호랑이나 용 을 큼지막하게 새길 것이지."

감독 할아버지는 껄껄 웃으며 봉지를 받아 들고 편의점을 나갔다. 검은 비닐봉지가 할아버지의 손 가락 끝에서 달랑달랑 흔들렸다. 그게 내가 본 감독 할아버지의 마지막 모습이었다. 그 후 감독 할아버 지는 편의점에도, 골목 어디에도 나타나지 않았다.

나흘 뒤, 응급차가 골목 안으로 비집고 들어왔다.

"죽은 지 3~4일은 지났다네. 옆집 사람이 악취가 나서 신고했다고 하더라고."

"자살이려나. 눈을 이렇게 부릅뜨고 있었다는 데."

"노인네가 괴팍하긴 해도 심성은 착했는데…. 맘 이 안 좋네."

나는 모여 선 사람들의 뒤에서 걸음을 멈췄다. 겨울의 붉은 노을 너머로 응급차는 멀어져 갔다. 모여 선 사람들은 응급차가 보이지 않게 될 때까지, 할아버지를 배웅하듯이 서 있었다. 아르바이트 시간에 늦었다고 생각하면서도 나 역시 발을 뗄 수 없었다. 차가 완전히 보이지 않게 되고 사람들이 흩어진 뒤에야 나는 뒤돌아섰다. 눈가가 시큰했다.

"오늘 편의점 쉬어야겠다."

편의점에 도착하니 셔터가 반쯤 내려가 있고, 송정우는 '임시 휴업' 종이를 붙이고 있었다.

"무슨 일이에요?"

"안에 들어가 봐."

나는 허리를 숙이고 편의점 안으로 들어갔다. 안쪽은 온통 엉망으로 어지럽혀져 있었다. 선반에 진열되어 있어야 할 물건들이 몽땅 바닥에 널브러져 있었고, 헤집어진 음식물이 곳곳에 쏟아져 있었다. 흡사 도둑이라도 들었던 것만 같았다.

"고양이가 들어왔었나 봐. 내가 어제 쪽방 창을 열어 놓고 갔던 모양이야. 오늘 오후에 일이 좀 있어서, 이제야 출근했더니 이렇게 되어 있네. 오늘은 문 열지 말고 같이 정리 좀 하자. 대청소도 할 겸."

송정우는 이미 손에 라텍스 장갑을 끼고 있었다. 나도 정리에 합류했다. 분주하게 손을 움직이는 동안에도 머릿속에서는 감독 할아버지의 손끝에서 달랑거리던 검은 비닐봉지가 시계추처럼 흔들렸다.

어둑시니 이끄는 밤

고작 나흘 전이었다. 나흘 전까지 살아 있던 사람이 사라졌다. 나는 안다. 정체를 알 수 없는 죽음은 현실을 뒤덮고 현재를 묶어 몇 번이고 나를 과거로 미끄러지게 할 것이다. 호빵을 비닐봉지에 담을 때 좀 더 살갑게 말할걸, 할아버지에게 무슨 일이 있냐고 한번 물어볼걸, 도와줘서 고맙다고 인사라도 할걸. 비닐봉지가 머릿속에서 흔들리는 한, 나는 계속해서 후회하게 될 터였다.

"형. 감독 할아버지가 죽었대요."

냉장고 앞에 쏟아진 우유를 닦으며 송정우에게 말을 걸었다. 자꾸만 떠오르는 비닐봉지의 잔상을 어떻게든 몰아내고 싶었다.

"들었어. 옆집에서 연락했다며."

"냄새가 났다고…."

"그랬겠지. 사람 목이 졸리면, 장에 남아 있던 노폐물이 전부 아래로 쏟아지거든."

송정우의 목소리는 평소와 같았다. 조금의 흔들림도 없는 목소리가 편의점 안에 스산하게 울렸다. 나는 우유를 닦던 손을 멈췄다.

"할아버지가 목을 매달았어요?"

"… 그렇지 않을까. 자살할 방법이 많지는 않잖아."

나는 냉장고 안에까지 우유가 튄 것을 보고 냉장고 문을 열었다. 고양이가 냉장고를 열 수 있을까. 고양이 몇 마리가 숨어들면 이렇게까지 난장판이 될까. 편의점 안 전등을 평소처럼 다 켜지 않는 것은 영업을 하지 않기 때문일까. 송정우는 왜 '목을 맸다'가 아니라 '목이 졸렸다'고 했을까. 감독 할아버지는 눈을 뜨고 죽었다고 했다. 10년 전에 사람들이 그랬다. 형도 눈을 뜨고 죽었다고. 스스로 목을 맨 사람은 눈을 감고 죽지만, 목 졸려 죽은 사람은 눈을 뜨고 죽는다고 했다. 눈조차 감지 못하기에 목졸려 죽는 게 원통한 것이라고. 그 말들이 냉장고 불빛에 뒤섞여 너울거렸다.

'나흘 전에, 할아버지가 형이랑 술 마신다고 했었는데. 오랜만에 손님이 온다고 그렇게 좋아했었는데.'

그렇다면 감독 할아버지는 송정우와 술을 마시고 자살을 했다는 걸까. 어째서, 왜? 냉장고의 불빛이 순간 꺼질 듯 깜빡거렸다. 내 어깨 너머에서 송정우의 팔이 뻗어 와 냉장고 문을 닫았다. 나는 라텍스 장갑을 낀 송정우의 손과, 걷어 올린 소매 사이에 새겨진 문신을 봤다. 숫자 8 같기도 하고, 뫼비우스의 띠 같기도 하고, 모래시계 같기도 한 그림이 얇은 선으로 그려져 있었다.

"어디 아파? 벌써 10시 다 되어 가네. 쪽방에 앉아서 좀 쉬다가 가라."

송정우의 손이 내 등을 떠밀었다. 싫다고 하고 싶었다. 하지만 그렇게 말했다가는 내 등에 닿은 송정우의 손이 금방이라도 내 목을 조를 것만 같았다. 나는 송정우가 떠미는 대로 따라갔다. 송정우가 나를 데리고 간 곳은 냉장고 뒤, 창고 옆에 붙은 쪽방이었다. 그때까지 한 번도 열려 있는 걸 본 적 없는 방이었다. 송정우가 자물쇠 번호를 누르고 문고리를 잡아 흔들었다. 달그락, 문이 열렸다. 곰팡이 냄새와 종이 냄새가 한꺼번에 훅, 방 밖으로 몰려나왔다. 작은 책상용 조명 하나만 놓인 방 안은 어둠침침했고, 사면 벽에 책이 한가득 쌓여 있었다. 무엇이든 말하지 않으면 금방이라도 그 방이 나를 집어삼킬 것 같았다.

"형, 무슨 공부 해요?"

"내려오기 전에 5급 공시 준비했어. 스물여섯 되던 해에 붙었어야 했는데, 운이 없었어. 미친년. 사진 몇 장 찍었다고 고소니 뭐니 신경 쓰이게 하니 공부에 집중할 수가 있어야지. 지금 생각하면 제물이 부족해서 그런 시련이 왔던 거야."

송정우가 내 등을 더욱 세게 떠밀었다. 나는 그 힘에 밀려 방문턱에 걸터앉았다. 등 뒤의 방에서는 곰팡이 냄새와 책 냄새와, 정체 모를 비린내가 났다. 냄새는 그날 밤의 기억을 몰고 왔다. 나는 내 앞에 버티듯 선 송정우의 다리 틈새로 편의점 뒷문이 열려 있는 것을 봤다.

"왜 스물여섯이에요? 최연소 합격 뭐 그런 거 노렸어요?"

"그야, 스물여섯에는 6이 들어가잖아. 완벽한 숫자가."

송정우의 긴 한숨 소리가 내 머리 위에서 쏟아졌다.

"이젠 여덟이 되어 버렸어. 그때처럼."

"그때?"

"수능 본 해. 우리 부모님이 나빴어. 자퇴하고 검정고시 봤으면 열여섯 살에 수능 볼 수 있었을 거야. 우리 부모님이 말이지. 내가 천재라는 걸 인정하지 않았어. 그런 별거 아닌 학교에서 1등 하는 게 별거냐고. 그래서 내가, 그럴 수밖에 없었던 거지."

송정우의 목소리는 조금씩 낮아지고 느려졌다. 내가 들은 적 있던 목소리와 비슷해졌다.

"뭐를…. 그럴 수밖에 없었는데요?"

"여덟은 부족하지만 마법을 가진 숫자야. 완벽수 둘을 제물로 바치면 여덟은 완벽하고도 마법의 힘을 지닌 숫자가 돼. 봐. 마법 집은 이미 내 몸에 있거든."

송정우는 소매를 걷어 자신의 팔목에 있는 문신을 내보였다.

"그때도, 제물 둘을 바쳐서 수능 1등급을 받을 수 있었지."

송정우의 목소리가 점점 가깝게 들렸다. 내 위로 몸을 숙인 송정우가 한 손으로 내 목덜미를 움켜쥐었다. 차갑고도 미끈한 라텍스의 촉감까지 낯익었다.

"그래서 지금은 네가 몇 살이라고?"

도망가. 어둑시니가 비명을 질렀다. 더 이상 무시

어둑시니 이끄는 밤

할 수 없을 만큼, 비명이 선명한 외침으로 바뀌었다. 나는 무릎을 들어 올려 송정우의 가랑이 사이를 걷어찼다. 송정우가 신음과 함께 바닥에 굴렀고, 나는 뛰었다.

"밖은 이미 밤이야. 넌 도망갈 수 없어! 알고 있다고! 너, 야맹증 있지! 그때도 그렇게 가까이 있었는데, 내 얼굴 못 봤잖아!"

뒷문을 빠져나와 잠시 주춤했다. 어디로 도망가야 할까. 집? 안 된다. 송정우는 금세 일어나 나를 쫓아올 것이다. 집까지 도망간다 해도, 집 앞에서 소동을 벌이면 부모님은 시끄럽다고 오히려 문을 걸어 잠글 것 같다. 퍼뜩 떠오른 곳은 버스 정류장 맞은편에 있는 경찰서였다. 나는 빌라가 있는 골목을 등지고 어둠이 깔린 골목길 안으로 뛰어 들어갔다. 어둑시니가 계속해서 외쳤다. 손을 있는 대로 쫙 뻗어. 담벼락의 감촉을 기억해. 감촉이 달라지는 지점이 분명히 있어. 이 골목은 내가 네 이름을 열 번 부를 때까지 이어질 거야. 걸을 때에는 열 번, 뛸 때에는 네 번이야. 길을 외우게 하던 목소리. 어둠 속에서 나를 이끄는 어둑시니는 형의 목소리로 말을 했다. 송정우는 틀렸다. 나는 도망갈 수 있다. 뛸 수 있다. 내 눈이 어둠 안의 길을 보지 못하더라도, 아무리 사방이 어두워도, 이 골목 안에서라면 얼마든지 뛸 수 있다.

내게 야맹증이 있다는 걸 처음 알아차린 사람은 형이었다. 형은 부모님에게 내가 어두운 곳에서 너무 잘 넘어진다고, 집도 찾지 못한다고, 병원에 데려가야 한다고 말했다. 부모님은 무시했다. 결국 형이 나를 데리고 병원에 갔다. 망막의 간상세포에 이상이 있는 선천적 야맹증이라는 진단을 받았다. 시력이 더 나빠지진 않겠지만 어둠 속에서는 거의 사물을 알아볼 수 없을 것이라 했다. 몇 가지 치료법을 추천받았지만 부모님의 지원 없이 계속 병원을 다닐 수는 없었다. 형은 그날부터 밤마다 나를 데리고 골목을 걸었다. 온갖 방법으로 길을 익히게 했다. 골목은 형이 태어나 자랄 때까지 거의 변하지 않았고, 그래서 형은 내가 자랄 때까지도 변하지 않을 것이라 믿었다. 내가 넘어져 울 때마다, 형은 약속했다.

… 형이 어른이 되면, 밤이 되어도 불빛이 가득한 곳으로 데리고 가 줄게. 그때까지는 혼자서도, 어둠 속에서도 걸을 수 있어야만 해. 혹시라도 형이 옆에 있어 주지 않아도 혼자 집으로 돌아올 수 있어야 해. 그래야 형과 헤어지지 않고 같이 어른이 되어서 집을 떠날 수 있어….

내 뒤를 쫓아오는 발소리는 형의 목소리에 묻혀 점점 멀어졌다. 나는 어둑시니가 가르쳐 주는 대로 뛰고 또 뛰었다. 송정우의 손가락 끝이 두어 번 내 등에 닿았다가 미끄러졌다. "왜 이렇게 어두워." 송정우의 목소리를 딱 한 번 들었다. 어둠은 나의 편이었다. 송정우는 나처럼 어두운 길에 익숙하지 않았다. 완벽하지 않은 어둠도 친하지 않은 이에겐 암흑일 터였다. 두 번째 꼭짓점을 돌았다. 버스 정류

어둑시니 이끄는 밤

장의 불빛이 눈앞을 밝혔고 길 건너편에 경찰서가
보였다. 경찰서 안으로 뛰어 들어갔다. 시큰둥하니
내 말을 듣던 경찰의 표정이 점점 변했고, 내가 10
년 전 사건의 목격자임을 안 순간 경찰 서너 명이
밖으로 달려 나갔다. 누군가 나를 경찰서 안쪽 소파
로 데려가 앉히고 담요를 가져다주었다. 10년 전 그
날처럼. 그날의 질문이 윙윙 되살아났다. 형이 죽은
걸 봤지. 죽인 사람 얼굴을 봤지…. 보지 못했어요,
라고 말하며 후회했다. 후회는 점점 쌓였다. 볼 수
있었다면 얼마나 좋았을까. 내가 어둠 속에서 볼 수
있었다면, 형이 그 밤에 운동장에 갈 일도 없었다.
내가 형의 비명 소리를 들었을 때 바로 소리를 질렀
다면 형이 살았을 수도 있지 않을까. 그 밤을 되새
길 때마다 어둑시니는 더 자주 비명을 질렀다. 나는
그 비명을 듣지 않으려 필사적으로 외면했다. 형을
죽인 범인은 계속해서 잡히지 않았고, 내 후회는 자
꾸만 나를 10년 전 밤으로 끌고 갔다. 나의 후회가
만들어 낸 기억 속의 밤, 그 운동장에서 형은 나를
원망하고 있었다. 원망해야만 했다. 나는 형이 나를
원망한다고 생각해야만 버틸 수 있었다. 그렇기에
어둑시니의 비명을 계속해서 듣지 않으려 안간힘
을 썼다.

　경찰서 벽에 희미하게 그림자가 비치고, 어둑시
니는 계속해서 외쳤다. 도망쳐. 그 운동장에서 내가
마지막으로 들은 형의 목소리였다. 도망쳐. 그리고
잊지 마. 절대 잊어버리면 안 돼…. 바람 소리에 뒤
섞였던 그 작은 외침. 그날부터 계속해서 이어진 형

의 외침이 나를 10년 전에서 현재로 끌어냈다.

"이젠 괜찮아. 형."

소리 내어 중얼거렸다. 어둑시니는 더 이상 비명을 지르지 않았다.

*

소년은 비명 지르기를 멈췄어. 어둑시니를 마주 봤지. 소년을 사랑한 어둠 안에서 깨어난 어둑시니는, 결국 소년을 사랑할 수밖에 없었지. 소년도 그 사실을 알게 된 거야. 마주 본 어둑시니는 무섭다기보다는 그저 슬퍼 보였거든.

희재야. 형은 말이지. 예전에는 어둠이 전혀 무섭지 않았어. 아빠와 엄마가 잠이 든 후에 어두운 거실에 혼자 앉아 있곤 했어. 아빠나 엄마가 내게 말한 마디 걸어 주지 않은 날에는 더욱더 눈을 꽉 감고 있었지. 그리고 상상했어. 어둠 속에서, 저렇게 변해 버리기 전의 아빠와 엄마가 걸어 나오는 모습을. 아빠와 엄마가 예전에는 아주 상냥했거든. 아빠는 밤에 노래를 불러도 잘한다고 웃어 줬어. 엄마는 일을 끝내고 늦게 집에 오면, 잠들어 있는 나를 꽉 안아 줬지. 그게 언제냐고? 아주 예전. 내가 희재 너만큼 어렸을 때.

어둠 속에 앉아 그런 상상을 하면, 덜 외로웠어. 네가 태어난 후에는 그럴 필요가 없었지. 네가 나를 외롭지 않게 해 주었으니깐. 네가 한밤중에 울 때마

어둑시니 이끄는 밤

다 아빠가 너를 노려봤는데, 그때마다 아빠가 널 죽이는 건 아닐까 싶었어. 그래서 널 데리고 한참이나 골목을 걷다가 들어오곤 했어. 그때도 어둠은 내 편이었어.

그런데 네가 어둠 안에서 처음 길을 잃었던 날 말이야. 밤 10시가 되도록 집을 못 찾아왔던 그날, 처음으로 어둠이 무섭더라. 어둠이 내 동생을 삼켜 버리면 어쩌나 싶어서.

희재야. 너도 알게 될 거야. 너를 해치는 어둠도 있지만 보호해 주는 어둠도 있다는 걸. 그걸 구분할 수 있어야 해. 무서워서 도망만 치면 구분할 수 없게 되어 버려. 어둠과 마주 볼 수 있는 어른이 되어야 해.

… 어둑시니는 그때부터 말이야. 소년의 친구가 되었어. 소년이 밤에 길을 헤매기라도 하면 제대로 된 길을 알려 주었어. 내가 너에게 해 주듯이. 소년은 어둠을 마주 보며 어른이 되어 갔지. 희재야. 형이 뭐라고 했었는지 기억해?

그래. 어둠은 소년을 사랑해.

형은 너를 사랑해.

잊어버리면 안 돼. 절대로.

작가의 말

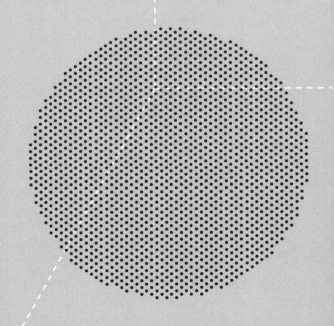

'네거티브한 에너지가 폭발하는 글'이 안전가옥과 제가 기획한 이 책의 의도였습니다. 처음에는 소재를 '괴이'로 잡고 쓰기 시작했는데, 진행하면서 소재의 범위가 넓어졌습니다. 작업을 하는 동안 '네거티브한 에너지'란 무엇인가에 대해 다방면으로 생각할 수 있었습니다. 작품 코멘트는 편의상 조금 편한 말투로 진행하겠습니다.

1호선에서 빌런을 만났습니다

1호선에서 의자에 좌판 펼치는 할머니를 만나 된장을 산 적이 있다. 술에 취해 좌석에 소변을 보는 취객까지 '1호선 빌런' 카테고리에 슬그머니 집어넣으려 하는 움직임이 있는데, 개인적으로 격하게 반대한다. 빌런은 제정신인 채로, 자신만의 신념을 가지고 움직이니깐 빌런인 거다. 1호선과 1호선 단골과 1호선 빌런은 나름의 애증 관계인지라, 저런 안이한 분류에는 동의할 수 없다.

나에게는 운전면허가 없기 때문에 어른이 된 후에도 서울에 갈 일이 있으면 1호선을 탄다. 나와는 다르게 자가용으로 서울을 오고 가게 된 친구에게 1호선의 불편함을 토로하자 친구는 "그래도 정취가 있잖아."라고 말했다. '정취'란 표현은 가끔 현실에서 불편함을 겪고 있는 타인의 입을 막는 데 사용되는 게 아닐까. 불편함 밖에 있는 사람이 불편함 안에 있는 사람에게 "불편하지 않아."라고 말하는 게 과연 옳은 일인가 싶다.

아주 작은 날갯짓을 너에게 줄게

곽재식 작가님의 《한국 괴물 백과》에서 양액유우 (兩腋有羽)에 대한 내용을 읽다가 적어 놓은 메모가 단편이 되었다. 책에는 날개를 지닌 사람이 뛰어난 재능을 지녀 시기를 받은 끝에 죽임을 당한다는 이야기가 실려 있었다. 아주 옛날부터 그런 이야기가 있었다는 건 정말로 어딘가에 날개를 가진 사람들이 모여 살았다는 의미가 아닐까, 그런 상상을 했다. 하늘을 날아 보겠다던 인류의 수많은 시도를 생각해 보면, 날개를 가진 사람은 별 능력이 없어도 하늘을 날 수 있단 것만으로 시기의 대상이 될 수 있었겠구나 싶다. 메모에는 날개 달린 사람들이 힘을 모아 무언가 저질렀어도 좋았을 텐데, 라고 적혀 있었다. 책 속의 양액유우는 겨드랑이부터 팔까지 새처럼 긴 깃털이 난 사람이라 묘사되어 있었지만, 이 소설에서는 천사처럼 등 뒤에 날개가 솟아난 존재가 되었다. 팔 전체가 새의 날개인 사람의 이야기도 언젠가 꼭 써 보고 싶다. 의외로 깃털 하나하나에 신경이 있어서 자수를 엄청 빨리 놓을 수 있다면 멋지지 않을까.

소설 속 '달팽이'는 실제로 꽤 문제가 되었던 도박형 게임이다. 청소년 도박 중독 문제는 점점 더 심해지고 있는 것 같은데 미디어에서 무게감 있게 다루지 않는 것이 이상하다. 미디어가 대중에게 보여 주기 좋은 부분만을 쏙 뽑아내어서 그것이 문제의 전부인 양 가공하는 것은 아닌가, 그런 생각이 들 때가 있다.

아홉수 가위

가위에 잘 눌리는 편이다. 너무 자주 눌려서, 이젠 웬만큼 눌려서는 놀라지도 무서워하지도 않게 되었다. 가위 푸는 법도 익혔다. 한때 귀신이든 뭐든 좋으니깐 잠깐이라도 만났으면 하는 마음에 가위에 눌리기를 바란 적이 있었다.

아홉수를 맞으면 변곡점에 이르렀다는 생각에 심정이 복잡해지는 사람이 많은 것 같다. 미성년에서 성인이 되는 19살이나, 20대에서 30대로 넘어가는 29살이나, 30대에서 40대로 넘어가는 39살이라거나…. 9를 지나 다시 끝자리가 0이 되는 삶의 등선을 넘을 때마다 눈앞의 저 산을 다시 넘을 수 있을까, 하는 마음에 탈진해서 주저앉고 싶은 기분이 되는 것일지도. 나는 이런 면에서 상당히 둔감한 편이라, 이 단편을 쓸 때 주변에 아홉수 특유의 정서를 느낀 적이 있냐고 물어보았다. 생각 외로 우울했다는 답변이 많아서 놀랐다. 단순히 나이를 한 살 더 먹어서라기보다는, 나이 뒷자리 숫자가 9로 차오를 때까지 쌓아 올린 것들이 한순간 0으로 돌아갈 수 있음을 깨닫게 되기 때문이 아닐까. 혹은 0으로 돌리고 싶은데 현실적으로 그럴 수 없어서이거나. 어느 쪽이든, 한 해 한 해 삶을 쌓아 9라는 숫자까지 버틴 것만으로, 누구든 대단하다. 그렇게 말해 주고 싶다.

소설 속 폐가 묘사는 할머니 집을 모델로 삼아서 썼다. 그 집에서의 기억 때문에 나는 떡국에는 당연히 닭 다리가 들어가는 줄 알았고, '깐밥'이 사투리인 걸 모르고 자랐다. 그 집은 지금은 공장이 되었다.

어둑시니 이끄는 밤

어둑시니에 일방적인 애정을 가지고 있다. '관심을 주지 않으면 작아지다가 사라진다.'라는 어둑시니의 성정을 생각하면 마음이 미묘해진다. 어둠 속에 있어야 하는 존재들이 과연 해로운가, 아니면 단지 약해서 밀려났을 뿐인가를 생각하면 좀 더 그렇다.

뜻하지 않은 주변 사람의 죽음 후, 남은 이들은 어쩔 수 없는 어둠을 삶의 한쪽에 동여매고 살아간다. 때로는 상실을 경험한 그 무렵에 영혼의 일부를 잘라 놓고 온 듯한 기분이 들기도 한다. 시간이 흘러서 현실의 나는 어른이 되어 가는데, 잘라 놓고 온 영혼은 여전히 그 나이에 머물러 있는 감각을 느낄 때면 어둠이 그리워진다. 그럼에도 어둠을 버티고 찾아오는 새벽을 맞이했을 수많은 사람들을 생각한다. 빛이 찾아오면 사그라지지만 완전히 사라지지는 않는, 마음속의 비명을 대신 질러 주는 존재가 그들에게 있었으면 좋겠다.

이 이야기는 네거티브한 에너지의 폭발, 이라기보다는 네거티브함에서 빠져나오는 이야기이다. 빠져나오는 것 역시 어떤 의미에서는 폭발이 아닌가 하는 생각을 했다.

수많은 트리트먼트를 함께 살펴보며 여기까지 함께 해 준 조이(Zoe) PD님, 글을 쓰는 내내 함께 트랙을 달려 준 안전가옥의 운영 멤버분들 진심으로 감사합니다. 분명히 많은 신세를 지게 될 편집자님께도 고마움을 전합니다.

마지막으로 여기까지 읽어 주신 독자 여러분께 고개 숙여 감사드립니다. 또 만나요. 다시 만날 수 있게 쌓아 올리러 가겠습니다. 열심히.

프로듀서의 말

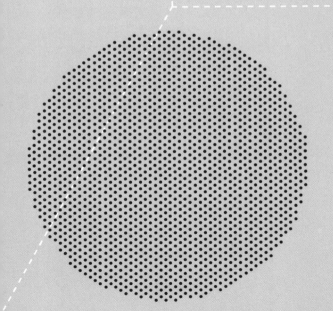

《아홉수 가위》는 안전가옥에서 출간한 범유진 작가의 다섯 번째 책입니다. 2019년 안전가옥 스토리 공모전 당선작인 〈혼종의 중화냉면〉(《냉면》 수록)으로 저희는 범유진 작가와 첫 인연을 맺었습니다. 같은 해 역시 안전가옥 스토리 공모전 수상작인 〈선택의 아이〉를 담은 《대멸종》이, 2020년엔 안전가옥 오리지널 《선샤인의 완벽한 죽음》이 출간되었습니다. 이후 《아홉수 가위》를 열심히 준비하는 동안 2020년 안전가옥×메가박스중앙(주)플러스엠 공모전에 〈캡틴 그랜마, 오미자〉(《슈퍼 마이너리티 히어로》 수록)가 당선되며 범유진 작가는 안전가옥 스토리 공모전 3관왕에 등극했습니다.

안전가옥은 왜 자꾸 범유진의 작품에 매혹될까. 독자들이 사랑하는 범유진 월드의 정수는 무엇일까. 이 궁금증을 해소해 보고자 하는 마음이 《아홉수 가위》 기획의 첫걸음이 되었습니다.

경계선에 선 인물의 슬픔과 아름다움. 제가 좋아하는, 그리고 자주 떠올리는 범유진 작가의 작품 속 풍경입니다. 어른과 아이, 개인과 세계, 평범과 비범, 희망과 절망, 삶과 죽음…. 우리가 한 번은 지나왔거나 언젠가 한 번은 머무르게 될 어느 지점에서 분투하는 인물들이 주로 범유진 월드의 주인공입니다. 충돌하는 두 세계에 포박된 인물들은 어떤 선택을 하든 필연적으로 상실을 맞이합니다. 그래서 아름답고 또 슬픕니다.

무수한 경계 중에서 가장 어두운 날들을 지나는 10대 후반에서 20대 초반 인물들의 이야기를 해 보자고 작가님과 뜻을 모았습니다. 그 어둡고 부정적인 에너지가 폭발하면서 '이능력'이 발휘된다면? 세상을 이롭게 하는 초능력도 아니고, 선한 동기와 책임을 담보하는 영웅도 아닙니다. 세상은 점점 나빠져 가고 크고 작은 불행이 끝없이 이어지겠지만, 그 과정에서 찰나의 빛나는 순간을 누리는 사람들을 보고 싶었습니다.

작가님과 회의를 거듭하면서 '이능력'은 '이형'이라는 조금 넓은 주제로 확장되었습니다.

'… 능력은 갑자기 생기는 것이 아니라, 쌓여 온 문제의 발현이다.'

2020년 8월 11일에 작가님이 보내온 트리트먼트 문서에 적혀 있던 기획 의도 중 일부분입니다.

일부 특별한 사람들의 '능력 발현'에 초점을 맞추는 것에서 벗어나 내 안의 이형 혹은 타인의 이형을 깨닫는 동시에 쌓여 온 문제가 폭발하는 네 가지 이야기는 이렇게 탄생했습니다.

〈1호선에서 빌런을 만났습니다〉는 K장녀가 1호선 빌런을 만난 후 뜻밖의 일을 겪게 되는 블랙코미디입니다. 여기서 빌런은 주인공이 지하철에서 만난 대상이기도 하고 주인공이 그토록 바라는 평탄한 삶을 가로막는 문제 유발자들이기도 합니다. 인생이라는 궤도에서 잊지 못할 빌런을 만난 적이 있는 분들이라면 무척 공감할 수 있을 것입니다.

〈아주 작은 날갯짓을 너에게 줄게〉는 범유진표 영어덜트 판타지입니다. '결론은 파괴'가 마땅한 이야기를 써 보자는 것이 목표였는데 저는 중간에 흔들림이 있었지만, 다시 읽어 봐도 작가님의 선택이 맞았다고 생각합니다. 영화 〈캐리〉, 넷플릭스 오리지널 시리즈 〈아이 엠 낫 오케이〉 등 여러 레퍼런스 얘기를 했습니다만, 엔딩에서 저는 결국 소설 《데미안》의 그 유명한 구절 "새는 알을 깨고 나온다…(하략)"를 떠올릴 수밖에 없네요.

표제작 〈아홉수 가위〉는 안전가옥 스토리 PD들을 또 한 번 울린 작품입니다. 물론 범유진 작가는 이미 안전가옥 눈물 공장의 공장장 정도의 위상이긴 합니다만, 이번 작품은 할머니, 시골집, 아카시아 나무, 팝콘, 한적하게 만담을 나누는 주인공과 귀신의 모습이 눈에 잡힐 듯이 그려져서 특히 오래도록 기억에 남을 것 같습니다.

〈어둑시니 이끄는 밤〉은 범죄로 가까운 이를 잃은 주인공이 어둠과 공포에 맞서 트라우마를 극복하는 이야기입니다. 어둠과 공포가 어떻게 한 사람의 삶에 빛을 줄 수 있는지, 전설의 이형인 '어둑시니'에 대한 작가의 통찰이 녹아 있는 작품으로 서늘한 긴장과 우화적 따스함이 절묘하게 결합된 독특한 스릴러입니다.

안전가옥은 매 작품 여러 프로듀서가 팀을 이뤄 프로듀싱을 합니다. 이 작품을 예리하게 리뷰해 준 스토리 PD들과 책이 나온 후 더욱 바쁠 사업 팀 멤버들에게 진심으로 고맙습니다. 이제 배턴을 넘겨받을 이혜정 편집자와 금종각 이지현 디자이너에게도 감사를 전합니다.

무엇보다 범유진이 아니면 할 수 없는 고유한 이야기로 안전가옥의 새로운 지평을 넓혀 준 작가님께 깊이 감사드립니다.

이제 또 다른 이야기를 저희와 함께 신나게 펼쳐 보아요.

안전가옥 수석 스토리 PD
이지향 드림

프로듀서의 말

아홉수 가위

지은이	범유진
펴낸이	김홍익
펴낸곳	안전가옥

기획	안전가옥
프로듀서	이지향
	김보희 · 신지민 · 이수인
	이은진 · 임미나
퍼블리싱	박혜신 · 임수빈
편집	이혜정
디자인	금종각
서비스 디자인	김보영
비즈니스	이기훈
경영지원	홍연화

출판등록	제2018-000005호
주소	(04779) 서울특별시 성동구 뚝섬로1나길 5,
	헤이그라운드 성수 시작점 202호
대표전화	(02) 461-0601
전자우편	marketing@safehouse.kr
홈페이지	safehouse.kr
ISBN	979-11-91193-23-7
초판 1쇄	2021년 5월 31일 발행
초판 8쇄	2024년 7월 18일 발행

안전가옥 쇼-트 시리즈